ARCHITEKTUR AUS ÖSTERREICH

© 1980 Residenz Verlag, Salzburg und Wien
Alle Rechte, insbesondere das des auszugsweisen Abdrucks
und das der photomechanischen Wiedergabe, vorbehalten.
Papier von Borregaard Hallein: Euroart matt 150 g/m².
Reproduktion, Druck und Bindung: F. Sochor, Zell am See.
Printed in Austria. ISBN 3-7017-0259-4

PETER M. BODE
GUSTAV PEICHL

ARCHITEKTUR AUS ÖSTERREICH

seit 1960

Residenz Verlag

INHALT

VORWORT

Die österreichische Architektur hat in den letzten zwanzig Jahren eine eigenständige Position gewonnen. Früher als im Nachbarland Deutschland haben die österreichischen Architekten der Avantgarde den breiten Strom des weltweiten »Funktionalismus«, der inzwischen zum »Internationalen Stil« erstarrt war, verlassen. Sie besannen sich auf die in Wien erfundenen Anfänge des Modernen Bauens, die – anders als in Berlin, Paris und Amerika – aus einem breiten selbstsicheren Form-Fundus schöpften, der aus urbanem Klassizismus, elegantem Jugendstil und nobler Handwerkskultur gespeist wurde; und die interessantesten Architekten Österreichs entwickelten aus dieser Kenntnis heraus eine erkennbare Formen-Sprache, die zwischen den Polen des ironischen Zitats (das auch der Amerikaner Venturi propagiert) und der Anerkennung technisch-strukturaler Schönheit angesiedelt ist.

Dazu kommen sympathische regionalistische Tendenzen und in einem Fall der fast lebenslange Einsatz für niedrige, menschengemäße Wohnformen. Das breite Spektrum origineller Begabungen wird noch bereichert durch die Einwirkung von bildenden Künstlern auf die Architektur, entweder in der Weise, daß ein berühmter Plastiker selber baut und eine Kapelle zum skulpturalen Gesamtkunstwerk macht, oder so, daß ein gelernter Architekt seine skurrile, theatermächtige, traum-pralle Phantasie in einen an sich normalen Bauauftrag einbringt und damit zum Beispiel ein Geschäftshaus in ein Sinnen- und Formen-Spektakel zu verwandeln vermag.

Diese Andeutungen mögen genügen, die Berechtigung zu erweisen, daß man im Jahre 1980 die letzten zwanzig Jahre österreichischer Architektur vorstellen sollte. Herausgeber und Autor nehmen dabei für sich in Anspruch, daß eine persönliche Werk-Auswahl auch die ehrlichste ist, was naturgemäß Lücken und Enttäuschung für die Nichterwähnten mit sich bringt. Aber wir wollten kein Lexikon österreichischer Gegenwartsarchitektur verfassen, sondern aus *unserer* Sicht der österreichischen Architektur von 1960 bis 1980 nahekommen.

Die Herausgeber

7

Peter M. Bode

ÖSTERREICHISCHE ARCHITEKTUR SEIT 1960

Wenn ich an Österreich und seine Architektur denke, kommen mir zunächst höchst unterschiedliche Dinge und Namen in den Sinn: das karge, kühne Philosophenhaus von *Ludwig Wittgenstein*, die reiche Noblesse, formale Phantasie und überzeugende Bewältigung des Ornaments in den Bauten von *Otto Wagner*, der seltsam erregende Gegensatz kostbar ausgeführter, klassischer Grundmotive zum knappen, klaren Überbau beim Wiener Haus am Michaelerplatz von *Adolf Loos*, die intellektuellen Loos'schen Provokationen in »Ornament und Verbrechen« sowie seine hohnvolle Karikatur der Wolkenkratzer, wenn er eine befensterte griechische Super-Säule als Sitz der »Chicago Tribune« vorschlägt; ich sehe die strenge Konsequenz und gleichwohl dekorative Haltung in den Möbeln von *Josef Hoffmann;* und die romantischen, sozialen und urbanen Komponenten der großen Wiener Wohnhöfe haben mich stark beeindruckt.

Das alles schwingt mit und klingt an, wenn man sich mit dem Phänomen »Österreichische Architektur« beschäftigt: Otto Wagner gelingt zum Ende des 19. Jahrhunderts die vollendete Synthese von Kunst und Konstruktion, von spielerischem Jugendstil und rationaler Durchdringung; und seine 1904 entstandene »Postsparkasse« enthält erstmals in Wien einen modernen Innenraum, dessen ästhetische Wirkung, nicht – wie bisher – durch malerische und skulpturale Accessoires erreicht wurde, sondern durch die Überlagerung einer einsichtigen, »gereinigten«, alles überwölbenden Gesamtform mit feingliedrigem und bis ins Detail durchgebildetem strukturellen Design. Glas als innere Raum-Haut wird damit in das Vokabular der Architektur-Sprache aufgenommen. Das war ein Durchbruch und Vorzeichen und hat so intensiv gewirkt, daß ein Architekt der heutigen Generation in Wien, *Hans Hollein*, sich daran erinnert und

das »Österreichische Verkehrsbüro« gegenüber der Oper auch als Hommage à Otto Wagner gestaltet hat.

Auch der erlesene Umgang mit Materialien, die Wagners Schüler *Otto Josef Plečnik* zur sinnvollen Steigerung von Architektur-Wahrnehmung eingesetzt hat (»Zacherl-Haus« von 1904), spiegelt sich als wichtige Reminiszenz in den Arbeiten der gegenwärtigen Wiener Architekten-Avantgarde wider. Und Wagners noch intensiver wirkender Schüler Josef Hoffmann verwirklicht in seinen Villen-Bauten (z. B. beim Palais Stoclet in Brüssel) und in seiner Design-Arbeit für die »Wiener Werkstätten« den wohl nur in Wien damals möglichen, geistreichen und kreativen Kompromiß von Klassizismus und Funktionalismus.

Selbst Adolf Loos, der radikalste Neuerer und inspirierendste österreichische Geist für die moderne Architektur in ihren Anfängen, bleibt in gewissen Wiener Traditionen verhaftet: Das erwähnte Geschäftshaus von 1910 für Goldman und Salatsch, das damals Aufruhr erregte, erscheint uns heute auf eine eigenwillige Weise durchaus klassisch und doch auch bis in diese Tage bei den oberen Stockwerken der Fassade als Inbegriff des edlen Purismus aus der modernen Frühzeit, der allerdings in der Nachfolge des diese Prinzipien pervertierenden »Internationalen Stils« zu gar nicht edlen Konsequenzen geführt hat. Loos wurde gründlich mißverstanden. Während er bei seinen Wohnbauten die Fenster entsprechend den Bedürfnissen des Grundrisses und damit der Bewohner placierte, hat der später entartete Funktionalismus das Element Fenster trostlos schematisiert. Aus Rhythmus wurde Gleichtakt. Und aus Loos' »Raum-Plan«, der genialen Entdeckung des dreidimensionalen Grundrisses, wurde die banale »Wohnlandschaft« unserer Tage, in der nicht mehr wie bei Loos raffiniertes Raum- und Ebenen-Kalkül das Wohnerlebnis stimuliert, sondern nur noch privilegierter Überfluß modisch zum Ausdruck gebracht wird.

In den frühen dreißiger Jahren bekämpft der hellsichtige *Josef Frank* sowohl den heraufziehenden bodenständigen »Alpin-Stil« als auch den ordinär gewordenen Funktionalismus. Frank emigriert als jüdischer Sozialdemokrat 1934 nach Schweden. Er schrieb damals: »Stahl ist kein Material, sondern eine Weltanschauung... und die sogenannte Materialechtheit ruft jedem zu: ›ich bin ehrlich, ich will nicht mehr scheinen als ich bin und deshalb bin ich mehr als du‹«. An anderer Stelle sagt Frank: »Die Menschheit besteht nicht aus Puritanern; wer heute Lebendiges schaffen will, der muß all das aufnehmen, was heute lebt. Den ganzen Geist der Zeit, samt ihrer Sentimentalität und ihren Übertreibungen, samt ihren Geschmacklosigkeiten, die aber wenigstens lebendig sind«.

Hinzuweisen wäre aus meiner Sicht noch (die nicht auf systematischen historischen Rückblick aus ist, sondern festhalten will, was damals in Österreich als eigene Kraft erschien) auf *Lois Welzenbacher,* der den Elan der europäischen Architektur der »zwanziger Jahre« ebenso unbeirrt klar wie liebenswürdig regionalistisch in eine gleichermaßen sinnlich runde wie auch durchdacht rationale »Österreich-Architektur« übersetzte: Das war eine radikale Gegenposition zum Schaffen des einflußreichen *Clemens Holzmeister,* dessen Regionalismus auf intellektuelle Überhöhung verzichtet hat.

Ich meine, wenn Loos, Frank und Welzenbacher zum verehrten Dreigestirn einer Neu-Orientierung nach dem Zweiten Weltkrieg geworden wären, hätte Österreich viel früher eine befruchtende Stellung innerhalb der internationalen Architektur-Diskussion einnehmen können. Doch es kam, wie auch in Deutschland, nach dem Nazi-Schock paradoxerweise ganz anders. Darum haben vom »Bauen in Österreich« nach 1945 die Nachbarn nicht viel vernommen; und das hing nicht nur mit Resignation, Zerstörung und Auspowerung zusammen.

Aufgefallen sind erst wieder die Weltausstellungsbauten von *Karl Schwanzer* in Brüssel (1958) und Montreal (1967) wegen ihrer konstruktiv-transparenten Prägnanz. Darüberhinaus entwickelte auch noch die legendäre *»Arbeitsgruppe 4« (Holzbauer, Kurrent, Spalt)* Originalität bei der Verarbeitung internationaler Einflüsse. Das Seelsorgezentrum in Steyr-Ennsleiten (1961), entstanden in Zusammenarbeit mit *Johann Georg Gsteu,* und das Kolleg St. Josef in Aigen (1964) verkörpern auf jeweils eigene Weise einen »Durchbruch« in jenen damals mageren Zeiten der modernen Architektur: Mit dem Mittel einer auch ästhetisch faszinierenden Konstruktion – einmal Beton, einmal Stahl – wird sowohl die offene, vielseitige Verfügbarkeit von Räumen hergestellt als auch eine sakral bestimmte, introvertierte und als Symbol wirksame Haltung zum Ausdruck gebracht.

Im übrigen herrschte beim Bauen in den ersten beiden Jahrzehnten nach dem Zusammenbruch die gleiche fatale Entwurfsmischung wie in Deutschland vor: Wiederaufbau-Hudelei, falsch verstandener Funktionalismus, wirtschaftliche Prioritäten, Gedankenarmut, die noch in den Knochen steckenden Blut- und-Boden-Tendenzen – und das alles durchdrungen von einem fatalen Zweckrationalismus, der baukünstlerische Impulse gar nicht erst aufkommen ließ. An die Kraft und die »exakte Poesie« der »Modernen Bewegung« in den zwanziger Jahren konnte man offenbar nicht mehr anknüpfen. Auch die einst führenden Architekten Österreichs, die aus der Emigration zurückkehrten, haben das nicht geschafft. Man bot ihnen allerdings auch keine Chance mehr. Die Blut-und-Boden–Zäsur hatte alle Traditionen zerschlagen, auch die, die sich aus den Anfängen des »Neuen Bauens« hätte entwickeln können, wenn durch die nationalsozialistische Restauration die Entwicklung nicht so brutal unterbrochen worden wäre.

Merkwürdig ist dennoch, daß diese Zerstörung der Kontinuität auch den Wiener Wohnungsbau hinter das Erreichte der Vorkriegszeit zurückgeworfen hat. Denn einerseits hätte eine Fortsetzung der in der Welt einmaligen »Wiener Wohnhöfe« auch für die Konservativen in Geist und Politik ein Angebot sein können, weil diese regionale Architektur »zwischen den Zeiten« alles andere als mit dem allseits kritisierten »unpersönlichen modernen Bauen« identisch war, sondern vielmehr auch Geborgenheit, Mittelalter und retrospektive Monumentalität signalisierte. Und andererseits wäre ein Wiederanknüpfen an diese spezielle Wiener Neu-Tradition eine vernünftige, humane und sehr europäische Alternative zu der nach 1948 wirksam werdenden Doktrin vom offenen, lockeren Städtebau gewesen.

Aber offenbar waren die »Wohnhöfe« für die bürgerliche Rechte politisch zu sehr vorbelastet, und außerdem tat die Nachkriegs-Architekten-Generation selbst alles dazu, diese letzte noch geschichtlich begründbare Form von Städtebau restlos aus dem Stadtbild und dem Bewußtsein zu tilgen. Man wollte nun endlich den in der »Charta von Athen« enthaltenen Vorschlägen für ein »besseres und gesünderes Wohnen« zum Durchbruch verhelfen. Man hatte dafür das theoretische, aber bis dahin niemals ausprobierte Rezept, und es war alles so gut gemeint: Auflösung der Straßenfronten, Zeilenbauweise, »demokratisch« gleichmäßige Orientierung zur Sonne, Durchgrünung der Wohngebiete, Mischung von hoch und nieder. Was dabei herauskam, ist bekannt: Sterilität, Monotonie und der Verlust aller räumlichen Qualität zwischen den Häusern.

Roland Rainer, der Nestor der heutigen Architekten Österreichs, hat wohl bald schon versucht, dagegenzusteuern, aber sein Kampf gegen Wohnhochhäuser und sein Plädoyer für einen niedrigeren, menschenfreundlicheren, weniger eitlen Städtebau und für »Lebensgerechte Außenräume« (ein hinreißendes Buch) haben für die Masse des Gebauten keine durchschlagende Wirkung gehabt, und die Gartenstadt Puchenau ist eine Episode geblieben.

Was also das alltägliche, normale, gewöhnliche Bauen betrifft, so unterschied sich die österreichische Szene seinerzeit nicht grundsätzlich von der in der Bundesrepublik. Durchschnitt und Mittelmäßigkeit waren die Regel. Nur kam das alles nicht so schnell und nicht so heftig, denn das Land war im wesentlichen nicht zerstört, und für große Sprünge reichte die wirtschaftliche Basis noch nicht aus. Wahrscheinlich hat aber gerade diese gemächlichere Gangart beim Anpeilen des internationalen Architekturstandards Nischen für andere Gedanken freigelassen.

Schon das berühmte »Verschimmelungsmanifest« des Malers *Hundertwasser* (geschrieben 1958) wäre in einem noch fortschrittsbesesseneren und technikverliebteren Land gar nicht möglich gewesen. Dabei hatte Hundertwasser freilich genügend böse Beispiele des unmenschlichen, käfigähnlichen Wohnungsbaus auch vor seiner Wiener Haustür. Weder in Österreich noch anderswo haben die Manager des Bauens Hundertwassers Forderungen je ernst genommen. Erst seit es eine alternative Kultur mit einem geschärften ökologischen Bewußtsein gibt, sieht man bei denen, die jenseits der Computerwelt leben, hie und da das Gras auf den Dächern wachsen, und man entdeckt Hausformen, so verrückt und frei, exotisch und spontan, daß sich dagegen des Mahners Hundertwasser persönliche Malerei nur mehr wie unverbindliche Textildekoration ausnimmt.

Aber wie auch immer, daß überhaupt Künstler sich um Architektur kümmern und Architekten beschimpfen, ist eine kaum faßbare »Grenzüberschreitung«, die außerhalb Österreichs so vehement nie vorgekommen ist. Und daß gar Architekten selber auch freie Künstler sind und manchmal sogar umgekehrt, das können nur Blüten einer spezifisch österreichischen Durchdringungskultur sein, deren Wurzeln weit zurückreichen. Bei Wagner, Hoffmann, Olbrich war das Malerische und Plastische noch selbstverständlich, zählte zum nötigen Handwerk, und daß sie auch Designer waren und Inneneinrichtungen entwarfen, gehörte zur Philosophie vom Gesamtkunstwerk.

Daß aber einer ursprünglich Architekt ist wie *Walter Pichler* und jetzt einer der bedeutendsten europäischen Plastiker mit konzeptuellem Habitus, das ist ungewöhnlich. Daß *Friedrich Achleitner* auch als Architekt angefangen hat, dann die Architekturkritik in Österreich ernsthaft ins Leben rief und nicht zuletzt zum eigenwilligen Lyriker und Prosaschriftsteller wurde, ist für einen Beobachter außerhalb Österreichs ebenfalls verblüffend. Ähnlich verhält es sich mit *Günther Feuerstein.* Er ist Architekt, versagt sich aber das Bauen und hält stattdessen die theoretische Diskussion in Gang. Er regt an, er provoziert mit »antirationalen« Gedanken, er wirkt als Außenseiter im Zentrum der Auseinandersetzung. Daß *Hans*

Hollein die Mehrfachexistenz eines freien Künstlers, eines rigorosen Utopisten, eines geistreichen Architekten und eines witzigen Designers vorlebt – auch das ist eine Besonderheit mit Wiener Hintergrund und österreichischer Vergangenheit.

Bei anderen geht es nicht minder kreativ durcheinander: *Max Peintner*, faszinierender Zeichner gegenwartsnaher Undenkbarkeiten, ist Mitverfasser des grundlegenden Werkes über Otto Wagner, *Gustav Peichl* beherrscht die Doppelrolle des politischen Karikaturisten, der auch in der Architektur eine markante Rolle spielt, und *Fritz Wotruba*, die überragende Vaterfigur in der neueren österreichischen Plastik, schaffte es sogar, seine größte Skulptur ganz in Architektur umzusetzen: Daraus ist die Wiener »Kirche zur Heiligsten Dreifaltigkeit« geworden.

Bedeutet das alles, daß in Österreich das künstlerische Moment und dessen Integration in das Gebaute nie so völlig aus dem architektonischen Geschehen verbannt waren wie in den zweckberauschten Ländern, in denen das Dogma des Funktionalismus mit tödlichem Ernst als die einzige und wahre Heilslehre in die herrschende Realität umgewandelt wurde? Gegen diesen banalen Pragmatismus kam in Österreich ironischer Widerstand auch von einer ganz anderen Seite auf: Zum Ende der sechziger Jahre transformierten die Wiener Gruppen *Haus-Rucker-Co.*, *Missing Link* und die *Coop Himmelblau* englische Vorstellungen einer total technoiden »soft-architecture« (die permanenten Wandel ermöglichen sollte) und Einflüsse der Pop-Kunst in amüsant-visionäre, lustvolle Konditionierungs- und Kommunikations-Objekte um: Privat-Oasen in Plastic-Blasen, die aus dem Fenster heraushingen, waren das; es gab Kapselräume für die Liebe, Party-Ballons, Helme zur Bewußtseinserweiterung und psychedelische Lichtspiele.

Andere schockierten durch Verfremdung: so ist für Hollein im Anfang »alles Architektur« gewesen, auch der Flugzeugträger auf dem Hügel und der Güterwagen als Monster-Katafalk, Pichler hatte Bunker-Visionen und hob kreuzförmige Gruben aus (heute baut er an archaischen Kult-Häusern und unterirdischen Räumen für seine abgeschirmten Skulpturen und privaten Rituale). Peintner zeichnete gegen die Wirklichkeit und die Schwerkraft an: Er entwarf verschiebbare Hügel, künstliche Wolken und Seen mit geneigtem Wasserspiegel. In dieser aufregenden Zeit brachen sie alle auf, sie diskutierten nicht mehr über die Einheit von Kunst und Architektur, sondern sie taten etwas dafür, ohne Rücksicht auf die Verwendbarkeit für den Normalgebrauch.

Diese Offenheit und Neugier gegenüber anderen Kunstdisziplinen und anderen Denkweisen, die spürt man auch heute noch bei der Begegnung mit der fortschreitenden »Neuen Österreich Architektur«. Die Revolutionäre sind zwar älter geworden (entweder bauen sie konkret oder verzichten ganz auf Architektur, um die Freiheit ihrer Entwürfe noch weiter zu treiben), aber auch die, die bauen, haben sich ihren damals erworbenen gedanklichen Freiraum unter dem Druck der Verhältnisse, die man auch Sachzwänge nennt, nicht unnötig einengen lassen.

Das demonstriert prototypisch Hans Hollein mit der ambivalenten Mehrdeutigkeit seiner eleganten, symbolhaften, literarischen, physiognomisch starken, zitatenschwangeren Entwürfe, die so progressiv sind, daß in ihnen auch die Retrospektive einen beziehungsreichen Platz hat. Und die »Haus-Rucker-Co.« propagieren weiterhin die »provisorische Architektur« mit abgestürzten Felsspitzen auf Stadtplätzen, künstlichen Wellen-Treppen-Wiesen, Straßen-Nasen, Riesen-Bilderrahmen in der Landschaft, temporären Bergauf-Wasserfällen und schwebenden Museen.

Dieses Klima, in dem sich die Medien durchdringen, in dem sich die bildende Kunst zuweilen selbstbewußt in die Architektur einmischt und auch ihrerseits Anregungen aus dem architektonischen Raum aufnimmt, diese Atmosphäre ist gewiß eine Voraussetzung für das Niveau der »Neuen Österreich Architektur«. Die gebaute Umwelt, die ja bekanntermaßen nicht nur ein Kunstwerk ist, sondern auch – und vor allem – eine Folge von Notwendigkeiten, Zwängen und ökonomischen Beschränkungen, hat schließlich viele Alternativen, um sich als ein komplexes Resultat von Kalkül und Ästhetik zu präsentieren. Doch gerade weil die Architektur die Umgebung und das Befinden der Menschen viel nachhaltiger und irreversibler beeinflußt als andere Künste, ist es umso wichtiger, auch die künstlerischen Bedürfnisse der Betroffenen (das sind Benutzer von innen und Betrachter von außen) durch die Architektur selbst zu befriedigen. Das ist in Österreich oder durch Österreicher in letzter Zeit erstaunlich oft geschehen. Bemerkenswert ist auch die visuelle und konstruktive Vielfalt des Gebauten, obwohl das Land nicht mehr groß ist. Aber der Pluralismus der Stile und Haltungen wird verständlich als das Erbe, das diese Alpenrepublik aus ihren frühen, größeren geographischen und ethnographischen Zusammenhängen übernommen hat.

Welche Spannweite da möglich ist, steckt auf der einen Seite am extremsten *Günther Domenig* ab. Sein jüngster Beitrag zur phantastischen, aber realistischen Architektur ist eine Zweigstelle der Wiener Zentralsparkasse in der Favoritenstraße (1979). Domenig hat den heute fast irrwitzigen Versuch unternommen, aus benützbarer Architektur ein Gesamtkunstwerk zu machen. Und es ist ihm wirklich gelungen, seine rohen, gewaltsamen Vorstellungen von einer räumlichen Kunstgestalt in einen Form- und Funktionszusammenhang zu bringen. Diese wilde, zuckende, schlangenhafte, fischleibige, fliegenhäutige Mischung aus Geisterbahn, Labyrinth und Urwelt-Garten hat einen heißen Atem. Ein Schlag ins Gesicht der wohlanständigen Kisten-Kasten-Bankfilialen, die kein Gesicht haben.

Die Fassade wippt und schwappt und brüstet sich, und die »Visiere« über den Fenstern im unteren Bereich sind aufgesträubt wie die Schuppen eines Gürteltieres, das man gegen den Strich gebürstet hat. Domenig nimmt das Material so, wie es ist, unveredelt, aber dafür wird es umso mehr verformt und gebogen, damit es seine pysikalischen und ästhetischen Möglichkeiten direkt enthüllt. Hier sind die Handwerker vor Ort wieder gefordert; nicht nur der Entwerfer, auch die Ausführenden müssen kreativ sein und gegebenenfalls spontan umdenken können. Bauhütten-Ethos. Zuletzt war das nur noch bei Antoni Gaudi so.

Uns ist durch das strenge, berechenbare Bauen so lange schon jeder barocke und expressionistische Überschwang verwehrt worden, daß wir die biologistischen und surrealistischen Eruptionen, die in dieser Sparkasse rumoren, kaum noch unbefangen-sinnlich genießen können. Unser puristischer Geist wehrt so etwas ab; mit den Worten »Kitsch« und »Kunstgewerbe« ist man schnell bei der Hand. Auch weil wir gerade die Lektion mühsam gelernt haben, daß die Architektur bescheiden zu sein habe und wohl eingefügt in die Nachbarbebauung (nur keine Architekten-Denkmäler), tut man sich schwer mit Domenigs wüster Symphonie. Und es wäre wohl kaum zu ertragen, wenn dieser sich so hemmungslos prostituierende Kraftakt Schule machte. Denn die Gefahr besteht zweifellos, daß die starken Effekte sich abnützen und nur noch das Kuriose in Erinnerung bleibt.

Die Erfahrung zeigt nämlich, daß unser optisches Wahrnehmungsempfinden sich am wohlsten in der Mitte zwischen den beiden Extremen – totale Monotonie einerseits und totales Chaos andererseits – fühlt. Aber zuviel Monotonie, und die ist weiß Gott rund um die Sparkasse vorhanden, ruft eben auch Reaktionen hervor. Und wie Domenig reagiert hat: mit einem architektonischen Paukenschlag ohnegleichen. Was schert ihn die öde Bravheit rechts und links. Das Haus platzt förmlich aus seiner engen Baulücke und schnappt gierig nach mehr Raum. Hinten quillt das prismatisch gefaltete Oberlicht-Glasdach als Kaskade in den Hof, vorne sperrt der Eingang mit geschürzter Oberlippe sein gefräßiges Maul auf, und innen inszenieren betonierte Riesenhände, silbrige Klimaschlangen, vegetative Treppen, verstrickte (aber grazil minimierte) Stahlträger-Netzfachwerke und plastisch-biologisch wuchernde Formspiele die »Mysterien des Organismus«.

Schwer zu beschreiben: diese detailstrotzende Bühnen-Architektur zur Aufführung des alltäglichen Stückes von »Soll und Haben«. Doch es tut letztlich gut, zu erleben, daß ein Architekt jede Scheu verloren und einmal wenigstens sein ganzes komplexes und vitales, psychisch-formales Innenleben in die Architektur hineingestülpt hat. Ohne Frage ist daraus ein Gebilde erwachsen, bei dem auch Kunst und

Technik, Image und Gebrauch unauflöslich miteinander verschmolzen sind. Das meinte ich mit der vorhergehenden Bemerkung, daß in Österreich zuweilen irgendwann günstige Konstellationen zusammentreffen, die der »Bau-Kunst« (verstanden im doppelten Sinne) eine Chance lassen.

Verglichen mit der »irrationalen« und auf die Emotionen zielenden Sparkasse in der Wiener Favoritenstraße ist das Forschungs- und Rechenzentrum der VÖEST-Alpine in Leoben (Baujahr 1973), das Domenig noch zusammen mit *Eilfried Huth* geplant hat, ein zuchtvoll durchkonstruierter und formal durchsystematisierter Bau, der dennoch – im Vergleich zu den üblichen Forschungsinstituten landauf landab – als originelles Einzelstück herausragt: Stahl in transparenter Reinkultur. Das ist selten. Die Skelettkonstruktion in Stahl ist eine der Voraussetzungen für das schlanke Erscheinungsbild, und die Fassade aus Corten-Stahlblech vollendet den werbenden Effekt für den Stahl, den die Firma VÖEST-Alpine produziert.

Die unverwechselbare Form des Leobener Bauwerks – der luftig schwebende Kreuz-Pilz-Turm über der flachen Basis – ergibt sich auch aus der sinnvollen und deutlichen Trennung der Räume für Forschung und die Computer (in den unteren Geschossen) von den Büros, die oben im Turm sind. Die Verwaltungsetagen hängen allesamt an einem Stahlfachwerk, dessen Konstruktion sich an der Spitze hinter dem gestaffelten, gläsernen Dachabschluß reizvoll abzeichnet. Um innen lange Wege zu sparen und um möglichst vielen Leuten einen Platz in Fensternähe zu gönnen, wurde der kreuzförmige Grundriß gewählt. Die zweireihigen Fenster sind schräg nach außen gestellt und mit weich ausgewölbten, aufgeplusterten Sonnenschutz-Zwischenbändern aus Plexiglas versehen; das verbessert die Akustik und bereichert die Fassade um eine gleichsam kristalline Struktur (hier deutet sich übrigens sanft schon an, was dann bei der Sparkassenfassade expressiv »ausartet«).

Die Anmut solcher diagonaler und plastischer Architekturelemente zeigt sich auch in den abgewinkelten Dachflächen, die den Bau nach oben prägnant abschließen. Das ganze Gebäude hat also einen beton-

ten Anfang – die Sockelgeschosse – und ein nicht minder bewußtes Ende – das konstruktiv und körperhaft erkennbare Dach – und dazu im Mittelbereich die aparte »Taille«, den Schaft, als Zäsur zwischen unten und oben. So wurde es ähnlich, auch früher gemacht, um Architektur in der Vertikalen zu gliedern, nur waren es statt der Taille die Gesimse. Man muß sich eigentlich stets vergegenwärtigen, daß solche intelligenten Anläufe, aus dem Gefängnis der »funktionalistischen« Einheitsbox auszubrechen (in der paradoxerweise höchst verschiedene Funktionen über den gleichen formalen Leisten geschlagen werden), immer noch die Ausnahme sind. Rar ist auch das Bemühen, einen »Luftraum«, die ausgesparte Zone zwischen den verschiedenen Funktionsbereichen – in Leoben signifikant als Silhouette –, auszuformen.

Und daß hier eine zweite »Haut«, das filigrane, vibrierende Gespinst der Eisenbügel (die den Sonnenschutz fixieren), den ästhetisch leichtgewichtigeren Part elegant übernimmt, wodurch mit derartigem »Zubehör« – einst dienten dazu Spaliere und wilder Wein – die feste Gesamtkonstruktion wohltuend überspielt wird, das alles trägt dazu bei, eine ohnehin schon in den Massen geschickt zurückgenommene Figuration noch zusätzlich optisch begreifbar zu machen: Einheit und Vielfalt, in ihrem Ausgleich und in ihrer Überlagerung, werden damit deutlich. Das Antlitz des Hauses bekommt dadurch eine detaillierte Syntax, die auf semantische Symbole verzichten kann und dennoch in einen Dialog mit dem Betrachter eintritt.

Ähnlich vehement, aber wesentlich strenger als Domenig bei seiner Sparkassen-Orgie haben der eigenwillige Bildhauer *Fritz Wotruba* (und Architekt *Fritz Mayr*) Kunst in Architektur verwandelt – oder umgekehrt. Ihr bemerkenswerter Versuch, emotionale plastische Vorgänge direkt in Gebautes umzusetzen, ist bis auf Le Corbusiers Kapelle von Ronchamp und Mike Heizers monumentale Minimal-Bau-Skulptur in der Wüste von Nevada ohne Vorbild in der modernen Welt. Allerdings kann man von der Kirche »Zur Heiligsten Dreifaltigkeit« auf dem Georgenberg in Wien-Mauer (1976) nicht sagen,

14

Fritz Wotruba/Fritz G. Mayr, Kirche »Zur Heiligsten Dreifaltigkeit«, Wien-Mauer, 1976

hier handle es sich endlich um das von vielen immer noch erträumte Gesamtkunstwerk, also um eine nahtlose Integration und Verschmelzung von Baukunst und bildender Kunst, denn Wotrubas gewalttätig-genialischer Wurf ist eben vor allem eine gebaute Super-Plastik, die man freilich betreten und als Innenraum benützen kann.

Ihre Raum- und Körper-Wirkung wird aber gerade nicht durch das klassische Instrumentarium der Architektur erzielt: Da ist kein rational komponierter Rhythmus von geschlossenen Flächen und Öffnungen ablesbar, kein logischer Zusammenhang zwischen vertikalen und horizontalen Baugliedern erkennbar. Vielmehr scheinen Spiel und Zufall den Entwurf gelenkt zu haben. Die Gesamtform, obwohl stilisiert und hochkünstlich, erinnert eher an geologisch-kristalline Natur-Gebilde als an berechnete Ästhetik.

Wotruba schiebt seine an sich neutralen, gänzlich unbehandelten, jedoch verschieden dimensionierten Massen-Quader kyklopengleich zu einer Festungsmauer mit bizarrer Geometrie zusammen. Und wie beim spontanen Umgang mit einem alten Kinderbaukasten ergeben sich in diesem Beton-Puzzle Lücken, Ritzen, Schlitze, Überschneidungen, Vorsprünge, Aussparungen: Das sind die aleatorischen Durchschlupf-Scharten für die hier körperhaften Wege des gebrochenen Lichts, die allein die ganze Verkrustung, Verfremdung und Auflösung dieser Kirchenhülle erst sinnvoll machen. Wotrubas Kunst überhöht und durchdringt die Architektur nicht, sie nimmt selbstbewußt deren Stelle ein und beschränkt sich auf eine starke Geste, auf starre Bewegung im geordneten Chaos.

Noch zwei weitere Lösungen der Bauaufgabe »Kirche« fallen in Österreich aus dem Rahmen der nachkriegsgewohnten neu-expressiven Formspielereien, die vielen Architekten die ersehnte Freiheit jenseits der selbstgemachten Sachzwänge des kommerziellen Bauens erlaubten. Mißbrauch war auch hier die Regel. Doch *Josef Lackners* Kirche in Völs bei Innsbruck (1967) und *Horst Herbert Parsons* Pfarrzentrum in der trostlosen Innsbrucker Olympia-Siedlung Neu-Rum (1976) zeigen auf ganz verschiedene

Weise, daß der kirchliche Bau auch architektonisch ein Ort der Konzentration sein sollte, ein Außen-Innen-Raum mit der geprägten Kraft einer übergreifenden, klaren Gebärde, die zum immanenten Signum wird.

Bei Lackner ist das die nach oben scheinbar offene Schale über quadratischem Grundriß mit diagonaler Silhouette und diagonalen Faltungen der Wand: ein symmetrisches Raumgefäß, das einen magisch nach innen zieht, das in sich ruht, die Außenwelt deutlich ausgrenzt und sich wie eine Bastion gegenüber der Landschaft, den Bergen, der visuellen Unordnung draußen behauptet. Diese Kirche umhüllt das liturgische Geschehen insgesamt in einer ähnlichen Figuration wie der segnende, die Arme nach oben ausbreitende Priester durch die Geometrie seines Ornats zur kultischen Abstraktion wird.

Eine derartige Übereinstimmung zwischen Ritual und dem Raum der Handlung, zwischen der inhaltlichen Bedeutung und der formalen Gestaltung, ist für mich ein Beweis, daß hier die Architektur nicht nebenher läuft, nicht neutral ist, daß es in ihr einen Unterschied macht, ob sich Gläubige – dem Transzendenten gegenüber aufgeschlossene Menschen — dort befinden oder ob man eine Parteiversammlung in diesem dafür wohl weniger bereiten Gehäuse abhält.

Ganz anders setzt sich Parson mit dem kirchlichen Thema auseinander, bei ihm verschiebt sich der Akzent eher zum Urbanen hin; das komplexe Programm kommt dieser Tendenz jedoch auch entgegen: Pfarrhaus, Jugendheim und Kirche. Diese Bauten schließen sich an drei Seiten zum Platz, der damit zum Treffpunkt, zum geborgenen Frei-Raum wird. Aber die Anlage ist nicht malerisch-gemütlich, sondern der hierarchische Außen-Rahmen für ein achsiales zentralperspektivisches Konzept. Dramaturgisch raffiniert wird die allmähliche Begegnung mit dem Gotteshaus auf verschiedenen Ebenen der Annäherung zelebriert: von der Straße über eine Wiese durch eine geteilte Hofmauer über die Mitte des Platzes und über ein flaches Treppenpodest schließlich in den sakralen Bereich.

Dieser gegliederte Weg – eine Abfolge von Verengung und Ausweitung – wird zusätzlich formal gefaßt durch das Motiv auf- und absteigender Stufen, die als straffes, dekoratives Element immer wieder vorkommen und nach Art von symmetrischen Kulissen die Perspektive öffnend und verengend begleiten. So ist auch der eigentliche Eingang zur Kirche durch das Bild der Stufen, die elegant in die anmutige, transparente Dachkonstruktion übergehen (übrigens ein Musterbeispiel für die allzu selten genutzte Möglichkeit, Technik und Ästhetik unmittelbar in Einklang zu bringen) genau in der Balance zwischen die Erwartung steigender Einschnürung und aufwärts gerichteter Erweiterung.

Auf die seit Palladio mit edlen Assoziationen behaftete Zentralachse gründet auch *Johannes Spalt* die Wirkung eines noblen, großen Wohnhauses in Etsdorf, Niederösterreich (1975). Wie eine Straße zielt die lange Terrasse über dem halb aus dem Garten aufragenden Schwimmbad-Glastrakt in die Mitte des Pavillons. Halb Promenadendeck, halb südliche Loggia, halb Positiv-Form, halb Negativ-Form, verbindet sie Außen und Innen, durchdringt die Fassade. Unterm Schirm des weit überwölbenden, weich abgerundeten Flach-Dachs entfaltet sich die klassische Ordnung, die aber durch die extreme Verschiebung der Proportionen – sehr hohes Sockelgeschoß und niedriges, schwereloses Fensterband im Traufbereich – reizvoll umgekehrt wird. Durch die signalhafte Betonung des Bau-Elements »Dach« will Spalt einen ganz besonderen Behausungs-Effekt erreichen.

Er drückt das selber so aus: »Zwischen Konstruktion und Dach bestehen schon seit den frühesten Hausformen Beziehungen. Konstruktion und Dach waren meist identisch. In unseren gegenwärtigen Bauten könnte das Dach, ganz gleich ob Zelt-, Flächen- oder Raum-Konstruktion, mehr als ein notwendiger Schutz sein. Es könnte durch die Art seiner Form bei größter Offenheit oder Mauerlosigkeit die psychologische Funktion des ›Innenseins‹ voll erfüllen. Wir könnten sagen, der uns zustehende Raum auf der Erde hat nur durch die vom Dach überdeckte Fläche eine imaginäre Trennung von der Landschaft. Voraussetzung dafür ist ein optisches Schweben des Daches, dessen Stützen kaum sichtbar sein sollten,

damit uns diese Decke – das Dach – nicht belastet.«

Im Gegensatz dazu faßt *Roland Rainer* das Wohnen romantischer, weniger architekturgeprägt auf. Er läßt sich von den Gegebenheiten, von der Topographie, vom Material, von der Vegetation beeinflussen. Haus Bösch, an einem steilen Nordhang in Wien-Hietzing (1970), folgt auf mehreren Ebenen behutsam dem Gelände: Es verzahnt sich durch Terrassen, Innenhöfe und Gartenmauern eng mit der Landschaft. Die Erscheinung dieses differenzierten Ensembles kubischer und räumlich versetzter Baukörper – errichtet aus handgeschlagenen unverputzten Ziegeln (die von alten Abbruchhäusern stammen) – erinnert an das Wachstum anonymer Hofhäuser, die bei Bedarf immer wieder ergänzt wurden.

Hier – und verstärkt noch bei Rainers städtebaulichen Entwürfen wie den Siedlungen Puchenau I (1969) und II (1979) – spürt man das Engagement dieses Architekten für den »lebensgerechten Außenraum«. Er liebt die Hofhäuser Pekings, die intimen Wohnstraßen und Innenhöfe in alten türkischen und iranischen Städten und auf dem Balkan, er schwärmt von den Stadthäusern und Reihenhäusern Londons und von den ebenso urbanen wie Geborgenheit gebenden »Zwischenräumen« in den Inselorten der ägäischen Kykladen. Für Rainer – wie auch für die überwältigende Mehrheit unserer Bevölkerung – ist das Einfamilienhaus nach wie vor die allein wünschenswerte Wohnform.

Doch damit meint er nicht die landfressende, freistehende Villa »zum Drumherumgehen«, die mit ihrem italienischen Vorbild kaum mehr was gemein hat. Er hat auch nicht die mit kleinbürgerlich-pervertierten Vorstadt-Einheits-Bungalows chaotisch oder stupide zersiedelten Ränder der Ballungsräume im Sinn. Der ehemalige Stadtplaner von Wien (1958–1963) kämpft für das niedrige verdichtete Wohnen, das die Städtebauer in England und USA »low rising, high density« nennen. Wiederholt hat Rainer in seinen Schriften nachgewiesen, daß in Siedlungen, die nicht höher als dreigeschossig sind, auf gleicher Fläche mindestens ebensoviel Menschen leben können wie in den seit den fünfziger Jahren üblichen Hochhaus-Vierteln und Massen-Mietblocks mit ihren

Roland Rainer, Wohnhaus Bösch, Wien-Hietzing, 1970

18

vorgeschriebenen, aber toten, ungegliederten Abstandsflächen. Und das ohne höheren Erschließungsaufwand.

Er plädiert deshalb folgerichtig für eng vernetzte, durch Fußwege erschlossene Wohnanlagen mit Atriumhäusern und außenraumbildend zusammengesetzten Reihenhaus-Gruppen, weil er erkannt hat, daß diese Art des Wohnens die einzig bekömmliche für die meisten Menschen ist. Rainer schreibt dazu: »Sollten wir bei unseren Bemühungen um nur technische Vollkommenheit vielleicht Umweltqualitäten vernachlässigt haben, ohne die Menschen auf die Dauer nicht auskommen können, die also nötig sind, damit eine Stadt sie nicht in die Flucht treibt, nicht nur zur Arbeit, sondern auch zur Erholung, zum Verweilen, zur Muße – kurz zum Wohnen – einlädt? Sollten wir nicht endlich versuchen, aus jenen Lebensräumen, in die die Großstädter aus unseren Häusern flüchten, zu lernen, wie man wieder eine wohnliche Stadt bauen könnte? Man würde dann unter Umständen aus einer Umwelt lernen, wie sie sich die Bewohner bis um die Mitte des vorigen Jahrhunderts vorwiegend ohne die Mitwirkung von Architekten, aber auf Grund örtlich überlieferter Wohnkultur und Bautradition mit ihren Handwerkern selbst gebaut haben«.

Bei Puchenau I und mehr noch bei Puchenau II hat Roland Rainer versucht, wieder an solche humanen Wohnbau-Traditionen, die zum Beispiel in Dänemark eher die Norm als die Ausnahme sind, anzuknüpfen. Da verlaufen zwischen den Atrium- und den Reihenhäusern schmale gewundene Wohnwege (zum Teil überdacht), die sich zu kleinen Plätzen erweitern. Die kubischen Häuser sind durchwegs nach Süden orientiert, und sie haben windgeschützte, private Freiräume, die von den öffentlichen und halböffentlichen Bereichen abgeschirmt sind.

In dieser Gartenstadt im wohlverstandenen, fast historischen Sinne (ähnlich Ebenezer Howards Vorstellungen) ist alles Gebaute innig mit der Vegetation verstrickt. Das öffentliche Grün ist von der privaten Bepflanzung kaum zu trennen. Über die Gartenmauern rankt es von innen nach außen und von außen nach innen. Eine maximal viergeschossige Bebauung

schirmt die niedrigen Teile der zwei Siedlungen mit ihren gleichermaßen anonymen wie erlebbaren Außen- und Zwischenräumen in den Linzer Donau-Auen gegen den Lärm der dahinter liegenden Straße und Eisenbahn ab.

Seine intensive Beschäftigung mit dem menschlichen, naturnahen Wohnen in urbanen Agglomerationsformen ist trotz aller Orientierung Rainers an den Bedürfnissen der Bewohner bei den Bauten selbst in das funktionalistisch-rationale Architektur-Erbe eingebettet. Nostalgische Seitentriebe, die seine klaren, offenen Grundrisse und seine knapp-kühlen Baukörper- und Fassaden-Gliederungen überwuchern könnten – wie das der ebenso kämpferische Rolf Keller und seine Freunde in der Schweiz mittlerweile tun –, erlaubt er sich nicht.

Interessant ist eine Umfrage in Puchenau, die besagt, daß drei Viertel der Bewohner dieser Siedlung das Wochenende zuhause verbringen, während in einem Wiener Hochhaus-Quartier drei Viertel der Leute samstags, sonntags ihre monotonen, gestapelten Behausungen verlassen und ins Grüne, an die Seen und in die Berge flüchten.

Die Frage nach der jeweiligen Alternative, ob man seine Zeit ausschließlich in der Stadt verbringt oder wenigstens zeitweise dem Druck der schematisierten Wohn-Umwelt entfliehen kann, stellt sich für die 300 elternlosen Kinder und Jugendlichen gar nicht, die in *Anton Schweighofers* »Stadt des Kindes« (1973) leben. Hier im Wiener Westen, am Rande des 14. Bezirks, ist bereits die Landschaft wieder dominierend; und doch nennt der Architekt sein Heim eine »Stadt«. Dieser Name ist programmatisch, denn man wollte ganz bewußt kein Kinderdorf mit lockerer Gruppierung um einen ländlichen Platz schaffen, sondern diesen jungen Menschen, die aus dem innerstädtischen Wiener Milieu kommen, einen Ort geben, den sie durchaus als städtisch empfinden können, trotz der parkartigen Umgebung.

Das ausgedehnte Heim verkörpert deshalb ein vertrautes städtebauliches Konzept: Fünf vierstöckige Terrassenhäuser auf der einen Seite (für die Kinder-Familien) und ein gegliederter Langbau auf der anderen Seite (für die in selbständigen Apartments leben-

19

den Jugendlichen) schließen eine innere Straßen-Achse ein, die von Stegen, Loggien, Treppen und Brückenbauten begleitet und überspannt wird. Dadurch bekommt diese Wohnstraße Zäsuren, die sie in forumartige Platzbereiche unterteilen.

Auch die Kinderhäuser sind untereinander im Verlauf der Straße durch schmale Brücken leicht miteinander verbunden. In ihnen leben je vier »Familien« mit 10 bis 12 Kindern in Maisonette-Wohnungen. Die Wohnungstreppen liegen paarweise außen an den Gartenseiten der Häuser; sie sind schräg verglast, rahmen unten einen kleinen Patio und oben eine Terrasse ein. Sie sind das unverwechselbare Charakteristikum der sonst kubisch zusammengesetzten Häuser.

In der Haltung erinnern diese Bauten mit den ruhigen weißen Flächen und den rhythmisch-rational komponierten Wand- und Fensteröffnungen an die zwanziger Jahre, an die heroische, optimistische Zeit des »Modernen Bauens«, als das Dogma des Funktionalismus noch nicht zur Begründung und zur Verteidigung ästhetisch völlig ausgebluteter Zweckbauten mißbraucht worden war.

Schweighofer entwickelt aus dem puristischen Grundvokabular einen erstaunlichen Erfindungsreichtum sowohl bei der Organisation und Detailbehandlung der Volumen der einzelnen Baukörper als auch bei der Zuordnung und Durchdringung der einerseits urbanen und andererseits parkartigen Außen- und Zwischenräume.

Wilhelm Holzbauer dagegen hat sich von den funktional-rationalen Grundlagen der Architektur des 20. Jahrhunderts inzwischen weit entfernt. Er mißtraut offensichtlich der Logik des berühmten Satzes »Die Form folgt der Funktion«, weil man nun weiß, daß auf eine bestimmte inhaltliche Fragestellung durchaus verschiedene architektonische Antworten gegeben werden können. Dieses durch die Entwicklung der letzten Jahre und die Ergebnisse der theoretischen Diskussion freigesetzte Gedanken-Potential, das sich auch endlich wieder unbefangen mit der historischen Komponente der Architektur beschäftigt, macht sich Holzbauer zunutze, um auch die sprachlich-semantische Bedeutung architektonischer Ge-

staltung durchaus kraftvoll ins Spiel zu bringen. Er sagt: »Die Form eines Gebäudes wird natürlich nicht von der Funktion bestimmt; wäre dies der Fall, gäbe es keine wirkliche Entwicklung. Es sind vielmehr formgebende Kräfte am Werk, welche im konstanten Wechsel begriffen sind. Jede wirkliche Erfindung ist abhängig von ›Formenerfindung‹. Plastische, strukturelle und räumliche Erfindung ist es, die Architektur von einem Bauwerk unterscheidet, in welchem lediglich das Programm bewältigt wird. Jedes Gebäude sollte eine Einheit sein, deren visuelle Form identisch ist mit der Struktur, der Funktion und den Materialien. Daß diese Einheit mit einem Blick erfaßbar ist und verständlich wird, ist die Basis jeder großen Architektur«.

Am deutlichsten abzulesen sind Holzbauers Intentionen beim Salzburger Volksbildungsheim St. Virgil in Aigen (1976). Das ist eine Art »Katholische Akademie« mit Vortrags-Auditorium, Seminarräumen, Gästezellen, Speisesaal, Kapelle, Foyers und Meditationsraum. Damit diese Architektur mit vielfältigem Inhalt zum Begriff, zum sinnhaltigen Ausdruck für die geistigen Aufgaben wird, die hier erfüllt werden sollen, lehnt sich der Entwurf an die ähnlich komplexe und ähnlich selbständige Großform eines Schiffes an.

Aber die Übereinstimmung mit diesem Maschinen-Mythos (Le Corbusier bewunderte die Form und technisch-ästhetische Vollkommenheit moderner Dampfer) ist nicht platt vordergründig, sondern vor allem im Strukturellen erkennbar: Diese Akademie soll sich nicht im Städtischen verhaken, sie sucht keine Kommunikation mit irgendeinem urbanen Umfeld. Ihre Aktivitäten sind wie bei einem Schiff auf sich selbst beschränkt. Man bleibt unter sich inmitten des isolierenden Parks und ahnt das Getriebe Salzburgs nur von ferne. Wie Kabinen liegen die schräg in Reihe addierten Gästezimmer an den Außenflanken des im Grün verankerten Kolosses, und wie Fallreeps oder auch wie Landebrücken stellen die diagonal abgewinkelten, plastisch monumentalen Seitentreppen die Verbindung zur Außenwelt her.

Der Clou der Anlage ist das offene »Oberdeck« zwischen den Gästetrakten an den Längsseiten, den

Wilhelm Holzbauer, Wohnanlage Anschützgasse, Wien, 1979

angeschnittenen Zylindern vorne (Eingang, Kapelle und »Meditations-Sektor«) und dem Bullaugen-Refektorium an der Rückseite. Hier sollen sich das freie Gespräch, Entspannung und Begegnung ereignen: Durch scharf geschnittene stereometrische Oberlicht-Aufbauten (beim Schiff »Skylights« genannt), zwei einander gegenüber stehende Kulissen-Wände aus Beton mit großen Kreis-Löchern und ein Treppen-Podium wird mit Versatzstücken eine theatralische Kunst-Landschaft inszeniert, die wie ein in Einsamkeit erfrorenes Piazza-Bild von de Chirico wirkt, aber durch die gewollten, sprechenden Formen doch so viel Aufforderungs-Charakter für Spiel und Dialog enthält, daß man diese originellste Salzburger Freilicht-Architektur mit Menschen erlebt haben muß, um sie endgültig beurteilen zu können. Am besten an einem Sommertag, wenn die Sonne durch die runden Mauer-Öffnungen und durch die Schlitze zwischen den gebauschten Sonnensegeln helle scharfe Muster auf den Boden und die Wände zeichnet.

Das Bauen auf dem Lande, meist von Nicht-Architekten ausgeführt, wird in Österreich ebenso wie im benachbarten Bayern zu 99 Prozent entweder durch falsch verstandene Anpassung an den überkommenen bäuerlichen Baustil verhunzt (»Jodlerhäuser« und flach geneigte, weit überstehende Dächer auf miesen Apartmentblocks), oder es wird überhaupt keine Rücksicht mehr genommen auf die landschaftlichen Besonderheiten und baulichen Traditionen: Man infiziert mit den jeweils gerade tonangebenden Architektur-, Dekorations- und Baustoff-Moden die kleinen Ortschaften und Dörfer. Und immer ist das Ergebnis eine Zerstörung des vormals intakten und jetzt zersiedelten Ortsbildes und eine Verstädterung der frühen äußerst behutsam bebauten Kulturlandschaft.

Bei einem Bauernhof in Hittenkirchen, oberhalb des Chiemsees, gingen der Bauherr und Konstrukteur der Anlage *(Ulrich Finsterwalder)* sowie der Architekt *(Franz Riepl*, ein Österreicher, der in München arbeitet) davon aus, daß man heute eine Landwirtschaft nur noch sinnvoll und rentabel führen kann, wenn der Betrieb so durchorganisiert und rationalisiert ist, daß in ihm industrieähnliche Arbeitsbedingungen und Methoden herrschen, mit dem Resultat, daß Industrielöhne bezahlt werden können, der Achtstundentag gilt und vier Leute für die Bewirtschaftung eines Gründland-Hofes mit 80 Kühen ausreichen.

Also haben sie ihr Mustergut, in der eins ins andere greift, wie eine kleine Industrie aufgezogen: Die Kühe werden stationär gemolken, das heißt, nicht die Melkapparate werden hin- und hergeschleppt, sondern die Kühe müssen in einen festen Melkstand traben. Die Fütterung erfolgt automatisch, und auch der anfallende Dung wird automatisch abgeführt. Dieses Abfallprodukt wird wiederverwendet und in einer Fabrikationshalle mit Torf und Mineralien gemixt und zu hochwertigem Gartendünger abgepackt.

Für die verschiedenen Funktionen – Kuhstall, Futterhalle, Wohntrakt mit Büro und Werkstätten, Halle für die Düngerherstellung – waren verschiedene Gebäudegrößen und -höhen erforderlich. Man wollte aber aus Rationalisierungsgründen für alle Komplexe dieselbe Konstruktion haben: Es sind in der Fabrik produzierte Schalen aus Beton, die an der Baustelle nur noch mit Spannstählen zu selbsttragenden, aneinandergereihten Gewölben (bis zu 20 m Spannweite) zusammengesetzt und auf Betonstützen aufgelegt werden mußten. Je nach Notwendigkeit wurden die Fassaden mit Holz und Glas und Isolierstoffen ausgefacht.

Es ist nun gerade dieses sich immer wiederholende Gewölbe, das der Anlage ihr überzeugendes Gesicht gibt. Die Addition bringt Ruhe und Gleichmaß in die gespannte Form, der Takt der Biegung mindert die Länge der Hallen. Und zur Abwechslung genügen die Sprünge in den Höhen und Längen und einmal eine rechtwinkelige Drehung der Gewölbe sowie die Anpassung an das sanft abfallende Gelände. Die geschickte Zuordnung der Massen bildet einen wirklichen Hof, einen bewußten Innenraum. Man spürt trotz aller Rationalisierung, daß das hier keine Fabrik im Grünen ist, sondern eine Anlage, deren Wirtschaftsweise an Grund und Boden gebunden bleibt. Seinerzeit wollten die Behörden die herbe Qualität dieser Architektur nicht anerkennen und verlangten

Gustav Peichl, ORF-Studio, Zentrale Halle (Salzburg), 1972

die Kaschierung der Gewölbe mit geneigten Dächern. In diesem Fall wäre damit genau das erreicht worden, was die Baubeamten eigentlich mit ihrer Auflage vermeiden wollten: Sprengung des Maßstabes, Fremdkörper in der Landschaft. Denn glatte lange Dächer in solchen Dimensionen würden aus einer pointiert gegliederten Struktur eine gestaltlose Anhäufung von Massen machen. Das wäre dann wahrlich Industrie auf dem Lande.

Industrielle Perfektion, allerdings in anderer Richtung und mit anderen Absichten, setzt auch *Gustav Peichl* bei seinem Serienentwurf für die sechs Landes-Studios des Österreichischen Rundfunks in Salzburg, Innsbruck, Linz, Dornbirn, Graz und Eisenstadt ein (1969 bis 1980). Da das Raum- und Funktionsprogramm für alle sechs Studios gleich war, ist auch die innere und äußere Erscheinung dieser Funkhäuser nahezu identisch, und sie weichen vom Ur-Typ nur jeweils insoweit ab, als die verschiedenen Grundstücksverhältnisse dies notwendig machten. Auch wurde das Layout bewußt radial angelegt, so daß Erweiterungen, die inzwischen auch schon realisiert wurden, problemlos möglich waren.

Peichls Rundfunkentwurf bezieht seine Stärke aus zwei Komponenten; die eine ist, daß er Grundrißbeziehungen durch und durch sichtbar und einleuchtend macht. Es ließe sich deshalb dieses Gebäude auch als ein dreidimensionales Diagramm bildlich gewordener Funktionsabläufe bezeichnen. Zur anderen Komponente gehört die Verwendung der konstruktiven Technik als Informationsträger für Ästhetik: Jede Totale, jedes Detail ist von dem Verlangen geprägt, die Schönheit von gestalteter Technik zu demonstrieren.

Zur Logik der Grundrisse: Während man bei einem üblichen Verwaltungsbau nur von außen ahnen kann, wo sich die Verkehrsflächen befinden, erkennt jedermann bei den ORF-Stationen, wo die Eingangshalle ist, wo verwaltet wird, wo die Produktion arbeitet. Am Anfang war der Kreis, der Drehpunkt der Erschließung, die Halle; in sie schiebt sich, rechtwinkelig aufeinander zulaufend, der zweiflügelige Bürotrakt hinein. Diese Durchdringung zweier Geometrien gibt Anlaß für eine prismatisch gebrochene

Dachverglasung in der Gewächshauskonstruktion. An den verbliebenen Umkreis der Halle sind die weitgehend fensterlosen Räume der Produktion in Form von vier einzelnen, verschieden hohen, verschieden abgestuften Sektoren angebunden. Wie abgeschnittene Tortenstücke drängen sie sich mit ihren Schmalseiten an das Hallenrund heran. Bei möglichen Erweiterungen können die Sektoren in die Landschaft ausgreifen, ohne sich gegenseitig zu beengen. Es liegt eben nur die Mitte fest. Eine kompaktere, kurzwegigere Erschließung ist wohl kaum denkbar. Die beiden Arme des terrassierten Bürotrakts umschließen in ihrem breiten Teil technische Räume, die sich in raumtiefen Sprüngen zum Betriebshof hin öffnen. Die Kantine steckt in einem weit zurückgesetzten Penthouse, dem eine entsprechend große, den Gebäudesprüngen folgende, Terrasse vorgelagert ist.

Soviel zur architektonischen Syntax eines hochkomplexen, skulpturalen Gebildes, das auf plastische Schnörkel verzichten kann, das sich präsentiert als eine perfekt durchkonstruierte Rundfunkmaschine, als Gerät, dem soviel Überzeugungskraft innewohnt wie einer ideal berechneten Flugzeugtragfläche. Dieser technische Appeal setzt sich bis in die Details fort, wodurch die Wechselbeziehung zwischen dem großen, funktionalistisch motivierten Gesamtgestus und dem Design der Einzelheiten noch überzeugender wird.

Dieser Wille, die Technik so in die Architektur zu integrieren, daß dramatische Akzente daraus erwachsen, wird am deutlichsten in der Halle. Dort geben die gebündelten Hauptrohre und die gekrümmten Verteilerrohre der Klima-Anlage – allesamt umhüllt mit hochpoliertem Nirostablech – der Rotunde eine vertikale Vehemenz, eine Zentralität, eine technische Weihe, die schier atemberaubend ist: Säulen-Volumen im Raum definiert den Raum, begleitet den Schritt auf der durch diesen kolossalen Rahmen so wichtig gewordenen Treppe als silberner, die Augennerven faszinierender Akkord.

Was gemeinhin sich in Schächten und zwischen den Wänden hochschleicht, wird hier ans Licht gebracht, die bisher »verborgene Vernunft« kommt zum Vorschein, die auf Hochglanz gebrachten Versorgungs-

leitungen bilden zusammen mit der erwähnten Ober-
lichtkanzel, deren Stahlfassung ebenso wie die Hal-
lenwände rot gestrichen ist, einen aggressiven, licht-
intensiven Kontrast zum Grau der Hallenkonstruk-
tion aus Betonfertigteilen. Wer sich vom Galeriege-
schoß auf die elegant durchgebildete Reeling stützt
und in diese großartige Szenerie blickt, glaubt sich in
den Turbinenraum eines Schiffes oder auf die Leit-
warte eines Hochleistungsprüfstands versetzt. Man
hat es mit Energie zu tun, knapp gefaßt, straff geführt
– und doch wie ein barockes Fest zu Ehren techni-
scher Schönheit veranstaltet.

Als *Karl Schwanzer* seine Idee für die neue Hauptverwaltung von BMW in München (1972) entwickelte, muß er beim Entwurf des Grundrisses das Team,
die Gruppe im Auge gehabt haben. So ordnete er um
einen zentralen, an vier Seiten geöffneten Schaft
(Aufzüge, Treppenhäuser, Toiletten und tragende
Funktion) – der, statt eckig zu sein, viermal halb-
kreisförmig ausgebuchtet ist – vier Dreiviertelkreise
an, die fließend ineinander übergehen. Dieser
Grundriß läßt zwar die funktionale Zusammenfassung eines ganzen Geschosses zu, aber die Intimität
des Gruppenraumes im Dreiviertelkreis, seine optische und tatsächliche Einheit können dadurch nicht
aufgelöst werden. Vier Teamräume mit einer Grup-
pengröße von maximal 30 Arbeitsplätzen (Analogie
zur Schulklasse) umgeben auf jeder Normaletage
ohne Türen und ohne Gänge – und doch separiert –
den Kern.
Auf der Basis von Kreisen, die bei kleinstem Umfang
die größte Fläche be-inhalten (im Vergleich zu anderen geometrischen Formen), können die Wege kurz
und die Verkehrsflächen gering gehalten werden (bei
BMW 75 Prozent Nutzfläche, 25 Prozent Verkehrs-
fläche, Entfernung vom äußersten Platz zum Treppenhaus 25 Meter); außerdem erreicht man durch die
Rundumverglasung eine solche Tageslichtintensität,
daß auch der am weitesten von der Fensterfront ent-
fernte Schreibtisch (etwa elf Meter Distanz) noch
ohne künstliche Zusatz-Belichtung am Tage aus-
kommt. Daraus ergibt sich, daß der prägnante »Vier-
zylinder« durchaus nicht deshalb entstanden ist, weil
man der Firma BMW in erster Linie ein symbol-

trächtiges Wahrzeichen hätte verschaffen wollen.
Dennoch ist auch das gelungen; der Zeichen-Charak-
ter ist unverkennbar. Man wird sozusagen gezwun-
gen, die ungewohnte Gesamtform, die aus dem üblichen Bürohaus-Repertoire herauskippt, wahrzu-
nehmen und sich zu überlegen, was dieses Superzei-
chen wohl bedeuten könne. Zunächst signalisiert es
fraglos technischen Fortschritt, perfektes Finish und
funktionale Logik, alles Dinge, die man auch von
einem guten Auto erwartet. Aber die kräftig durchgebildete, in sich abgeschlossene Großform, die nicht
wie ein Scheibenhaus mit abruptem Anfang und
unbegründetem Ende kämpfen muß, ordnet ihre
Signifikanz in viel wichtigere Zusammenhänge ein.
Das ist nämlich keine einsame, auf vordergründigen
Werbeeffekt hinzielende Dominante, sondern ein bis
in die Höhe von hundert Metern seine volle Plastizität und Begreifbarkeit bewahrender Baukörper, der
in kompositorisch spannungsreicher Beziehung zur
ganz anderen Rundform des BMW-Museums und
zur breit gelagerten Masse der sich unter dem Turm
hinziehenden flachen Bauten steht. Erst diese ge-
glückte, zwingend erscheinende, weil räumlich sinn-
fällig verknüpfte Zuordnung von vierfach aufragen-
dem Rund und geöffneter Schale, von Quader und
Zylinder, von Terrassen, Rampen, Wendeltreppen
und Aussparung (der Luftraum zwischen Flachbe-
reich und hängendem Turm) ergibt den städtebaulichen Komplex, der den konträren Akzent zu den
olympischen Anlagen setzt und welcher sich aus der
umgebenden diffusen Streubebauung von Werkhal-
len und banalen Wohnquartieren als eine struktu-
rell-ästhetisch bis ins letzte durchgestaltete, architektonische Figurengruppe heraushebt.
Der bestechende Eindruck im großen wird durch die
Einzelheiten nachhaltig gestützt: Die aus – in Aluminium gegossenen – Fensterbrüstungs-Elementen
zusammengesetzte Fassade des Hochhauses gewinnt
durch die starke plastische Tiefe der schrägen Lei-
bungen und die dazu gegenläufig geneigten Fenster
eine zwar gleichförmige, aber gleichsam handgreifli-
che Rhythmisierung der Außenhaut. Weitere Details: Die Betonverkleidung des Flachbaus erhielt
eine reizvolle Oberflächenstruktur durch einen ver-
tieften Punktraster, und sie kommt rund um alle

Karl Schwanzer, Kindertagesheim Wien-Liesing, 1973

Ecken und Kanten; sogar der Übergang zwischen den Fassadenplatten und dem Boden wird als Kurve hergestellt.

Oder, die technische Ästhetik der am Kopf des Turmschaftes befindlichen Kragarme, welche die vier Säulen halten, an denen alle Etagen aufgehängt sind, wird dadurch noch gesteigert, daß man sie formal in den Griff bekommen und ausgemagert hat; so wird ein entscheidendes Konstruktionsmerkmal zu einem grandiosen Skulpturenensemble, dem exakt anzusehen ist, wie eine enorme hängende Last ins tragende Zentrum des in die Erde gehenden Kerns abgeleitet wird.

Noch ein anderes Beispiel, wo konstruktive Notwendigkeit und ästhetische Absicht bruchlos zusammengingen: Etwa nach zwei Dritteln Höhe des Turmbaus springt ein Geschoß merklich zurück, zieht sich als dunkle Zäsur um alle Rundungen, gliedert das Haus sehr bewußt in der Horizontalen und markiert wohltuend irritierend einen »Blauen Schnitt« (an Stelle des früheren »Goldenen«). Vom Verfahren her hatte dieses technische Geschoß hauptsächlich den Zweck, die oberen sieben Etagen zu tragen, während die elf unteren Geschosse darunter hängen. Man hat das deshalb gemacht, um Zeit zu gewinnen, denn während des Baus dieser Etagen konnte noch in Ruhe am Schaft und an den Kragarmen gearbeitet werden.

Nachdem die Ausleger fertig waren, wurden von diesen aus mit später einbetonierten Stahlstab-Bündeln die oberen sieben Stockwerke Woche um Woche um je eine Stockwerkshöhe hydraulisch geliftet, so daß man unten Platz bekam, um eine weitere Etagenebene zu gießen. Parallel dazu wurde aber bereits der Ausbau der ersten sieben Geschosse und der darauf folgenden betrieben. Das eingeschnürte Zwischengeschoß, dessen schräg über Kreuz eingespannte, gewaltige Stützen einen labyrinthischen Raum nach Art der »Carceri« von Piranesi geschaffen haben, dient nun als Verstärkerstation für die Klimaanlage, um die Dimensionen der auf- und absteigenden Installationen nicht zu umfänglich werden zu lassen.

Schwanzer hielt nicht viel von der Naturfarbe des Betons (dem tristen Grau, in das sich die Material- und Ehrlichkeitsfanatiker unter den Architekten so sehr verliebt haben), er überzog den gefügigen Baustoff mit einer silbernen Farbhaut, er machte ihn edel und setzte dagegen noch, auf Kontrastwirkung bedacht, bei anderen Materialien ein starkes Blau. So schimmert denn auch die aparte Museumsschale in den beiden Farben, in die man Großdesign glänzend-technoid verpacken kann. Das Museum ist eine Sache für sich, in der das totale Raumerlebnis geboten wird: ein kunstvoll ineinandergreifendes System von blauen Spiralrampen und geschwungenen Plattformen füllt die umgekehrte Kuppel und scheint in der silbernen Schale zu schweben. Ganz oben bedecken Rundumprojektionen den runden Horizont; der Besucher gleitet in sanften Windungen und über »fliegende« Ebenen nach unten, vorbei an historischen Automodellen und technischen Aggregaten. In die Höhe wird man mit einer gelben, steilen Rolltreppe, die sich in unendlicher Perspektive zu verlieren scheint, befördert.

Hans Hollein schließlich ist die Persönlichkeit der gegenwärtigen österreichischen Architektur-Szene, die am vielseitigsten Kunst und Leben, Design und Architektur, Theorie und Ausführung, Phantasie und Selbstdisziplin zu einem faszinierenden Spektrum kreativen Handelns zu bündeln vermag. Für ihn war in seinen spirituellen, provozierenden Anfängen auch Architektur (oder Design), wenn ein Flugzeugträger aufs Land gerät und zwischen sanften Hügeln ankert. Auch die Figur einer Zündkerze konnte er sich zum Hochhaus aufgebläht vorstellen, und ein riesiger Eisenbahn-Katafalk verwandelte sich durch gedachte Transformation ins Riesenhafte zu einem makabren Supermonument. Quantität schlug um in Qualität.

Hollein hält sich nicht nur in der Enge eines Berufes auf, er arbeitet gleichermaßen als Künstler, Designer und Architekt, er überschreitet ständig Grenzen und sieht die Aufgabe eines Gestalters im weitesten Sinne in der Verbesserung aller Mittel, mit denen man physische und psychische Umwelt erfahren – und bestimmen kann. Architektur ist auch ein »Mittel«, sogar ein besonders vielseitiges. Einmal dient es zum Schutz (Höhle), einmal zur Verständigung (Schule), einmal als Symbol (Kirche). Hollein meint, alles sei

Architektur, und wir alle seien Architekten, und zur extremsten Art von Architektur oder Anti-Architektur gehöre beispielsweise die Telefonzelle, weil sie auf kleinstem Raum globale Kommunikation ermögliche.

Auch in seinen realisierten Entwürfen liebt Hollein die verwirrende Ambivalenz: Die scheinbar unverletzliche und äußerst kostbare Granitfassade eines winzigen Wiener Juwelierladens (1974) reißt über dem Eingang gewollt entzwei; aus der unregelmäßig geränderten »Wunde«, die nicht minder kostbar in Messing gefaßt ist und die in eine »Goldader« mündet, schiebt sich ein Paket von Rohren; im Hintergrund des Bruchs verlaufen Messinglamellen ähnlich den Linien eines Fingerabdrucks. Was aussieht wie ein rein formaler Gag und Blickfang, erweist sich als souveräne Metamorphose einer technischen Notwendigkeit: Der assoziationsreich gestaltete Riß in der Fassade ist nämlich die Öffnung für das Ansaugen und Ausblasen der Luft von einer Klimaanlage. Nach Hollein können Ingenieur-Konstruktionen genauso wie zweckfreie Dinge subjektiv und emotional geprägt sein. Oft fehlt es nur an Mut, die Technik wie jedes andere Material als formbar zu behandeln – bis hin zur ironischen Verfremdung.

Eine weitere sehr witzige Möglichkeit, durch Architektur zu kommunizieren, ist das Spiel mit Zitaten. Hollein beherrscht das meisterhaft. Etwa beim »Österreichischen Verkehrsbüro« gegenüber der Wiener Staatsoper (1978): Unter einer Straßen-Arkade mit der üblichen Schaufensterfront wölbt sich plötzlich ein Fenster prächtig und glänzend im Halbkreis vor, edel gefaßt durch ein Netz polierter Messingsprossen. Die Eleganz eines solchen Entrées ist bereits die erste Verlockung für die Neugier, die dann im Inneren überreich befriedigt wird.

Aber Hollein spielt die Reize des Reisens nicht platt aus, sondern verwandelt den kurzen Zauber einer Inszenierung durch Verfremdung und Überraschung in handfeste, dauerhafte Wirkung. So umstellt er die »Information« mit einem Hain von Palmen, die jedoch nicht nach billiger Dekoration aussehen, weil sie kostbar gearbeitet und gleichfalls aus schimmerndem Messing sind. (Als ich dort war, saß da eine ungemein

hübsche Inderin, die fließend wienerisch sprach. Ihr machte es nichts aus, von gleißenden Sonnen aus gestaffelten Neonringen bestrahlt zu werden. Es schien so, als ob Hollein auch dieses lebende Inventar besorgt hätte.)

Nach derart exotischem Empfang öffnet sich der Raum zu einer weiten Halle mit gewölbter Lichtdecke: Erinnerung an die gläsernen Dächer alter Bahnhöfe und an Wagners Postsparkassen-Halle. Erinnerung und raffinierte Gedankenverbindung setzt Hollein ein, um seine Architektur zum Sprechen zu bringen: Eine Ecke ist ausgefüllt mit der Seitenfläche einer Pyramide aus Marmor, davor das Fragment einer antiken Säule, die bis zur Decke als blanker Stahlschaft weitergeht. Soll man glauben: daß auch die Griechen mit ihren berühmten Säulen falsches Spiel getrieben und diese nur verkleidet haben? Zum Ausruhen ist ein erhöhter orientalischer Harems-Pavillon mit Messingkuppel und Maharadscha-Polstern da. Vor einer blauen Himmelswand animieren große Vögel zum Fliegen und eine Schiffsreling mit Rettungsring zum Fernurlaub. Die Theaterkasse agiert aus einer alten Kulisse heraus, umrahmt von einem drapierten Bühnenvorhang, der allerdings in Blei gegossen ist. Und die Geldschalter sind mit Gittern gesichert, die an den noblen Kühlergrill des alten Rolls-Royce gemahnen.

Alle diese Zitate wirken so verblüffend, weil sie zumeist in einem anderen Material als in der Realität geboten werden – wie auch die am Stahlmast flatternde rotweißrote Österreich-Flagge, die aus Marmor gemeißelt wurde. Die geistreiche Metamorphose ist hier Holleins durchgängiges Entwurfsprinzip. Doch diese »Reise-Erinnerungen« stehen nun nicht banal aufzählend nebeneinander, sondern blühen gleichsam in der Atmosphäre des Gesamtraums auf, der durch schwingend verlegte Marmormuster selbst unter den Füßen noch von »Tausendundeiner Nacht« erzählt.

Ein anderes Beispiel für Holleins geistige und formale Beweglichkeit ist das von ihm umgebaute Kavaliershaus der Siemens-Stiftung in München (1972). Die modernen Architekten und die Denkmalpfleger können einander ja normalerweise nicht leiden, weil

Hans Hollein, Österreichisches Verkehrsbüro, Wien, 1978

wechselseitig befürchtet wird, die einen wollten den anderen jeweils ihre selbstgemachte Ideologie vom besseren Bauen aufzwingen. Dieser Streit ist müßig, wenn das Problem, heutige Bauformen mit historisch wertvollen Gebäuden in Einklang bringen zu müssen, durch höchste Qualität entschieden wird. Das ist geschehen, als die Siemens-Stiftung Hollein den Auftrag gab, eines der hübschen Häuser am Nymphenburger Schloßrondell umzubauen und zu erweitern, denn die Stiftung, die gehobene Kulturvermittlung durch wissenschaftliche Vorträge betreibt, hatte das Bedürfnis, der nach solchen Abenden intensiven Diskussion im kleineren Kreis einen adäquaten, dem Gespräch förderlichen Raum zu bieten.

In Frage kam dafür nur ein Anbau, der sich der Rondellmauer strikt unterzuordnen hatte, weil ein die Mauerkrone überragender Neubau die Nymphenburger Harmonie empfindlich gestört hätte. Hollein hat diese denkmalpflegerische Einschränkung zum Vorteil des Ganzen genutzt und sein »Salettl« dem Verlauf der abknickenden Mauer äußerst unauffällig eingeschmiegt. Dennoch ist dabei eine bemerkenswert unabhängige und maßvoll selbstbewußte Architektur entstanden, die keineswegs auf moderne Formensprache und neuzeitliche Materialien verzichten mußte, um die geschichtliche Situation nicht zu beeinträchtigen.

So betonen zierliche, waagrechte Aluminium-Sprossen auf der transparenten Gartenseite des eleganten Pavillons einerseits das Niedrige, Gestreckte des Anbaus, während sie aber zugleich auch den Eindruck von Weite und Großzügigkeit verstärken. Den Übergang vom Kavaliershaus zum Neubau vertuscht Hollein nicht, sondern akzentuiert diese zumeist heikle Stelle zwischen Alt und Neu besonders kräftig durch einen schmalen Glasstreifen und einen halbrunden Vorsprung mit nachfolgender Taille.

Im Inneren entwickelt sich aus dem abgeknickten Grundriß eine besonders raffinierte Raumwirkung: Auffälligstes Element sind gleichartige Wand- und Deckenstreifen (akzentuiert durch Neon-Bügel), die als Diagonalen nach außen streben und auch hier dem gleichwohl intimen Klubraum eine geistreiche Dimension von Unendlichkeit verleihen. Diesem aparten Raum-Spiel entsprechen auch die eigens

entworfenen »Minimal«-Möbel und andere noble Details: diagonales Licht über diagonalen Tischen. Alles ist dabei bis zum letzten Scharnier durchgearbeitet. Eigensinn, absolutes Qualitätsempfinden, Phantasievermögen und ein Schuß gebändigter Irrationalität zeichnen diese aristokratischen, aber dennoch kompromißlos jetztzeitigen Architektur- und Design-Erfindungen von Hollein aus. Dieser Architekt arbeitet zur Zeit an der Vollendung des Modernen Museums von Mönchengladbach im Rheinland. Die Pläne und Modelle dafür zeigen immerhin schon so viel, daß hier zweifellos das urbanste und räumlich durchdachteste deutsche Kunstmuseum entstehen wird.

Zu erwähnen bleibt noch, was von den Jüngeren kommt. Dafür zwei Beispiele: ein Café von *Hermann Czech* und eine Kirchen-Mehrzweckhalle von der Gruppe *Appelt, Kneissl, Prochazka*. Czech inszeniert literarische Caféhaus-Atmosphäre, ohne eine verräterische und wohlfeile Plüsch- und Plunder-Nostalgie zu bemühen. Er spielt mit Gewölbe, Gesims, Spiegeln, Marmor, Thonet-Stil, Polster-Fülle und Boden-Mustern. Aber er setzt das so kühl ein, wie das seinerzeit auch der von Czech bewunderte Loos getan hat. Keine Zugeständnisse an gewesenen Kitsch – und doch alles extrem »alt-modisch«. Dahinter steckt Berechnung. Dieses Interieur soll selbstverständlich aussehen, wie schon immer dagewesen, gealtert im Lauf der Zeit. Die Pfeiler und Spiegelwände – und dazwischen durchhängende Goldleisten – sind konisch so gestellt und asymmetrisch aufgeteilt, daß erst durch die mehrfache Spiegelung das vollständige, optische Raumsystem entsteht.

Die verschiedenen, scheinbar zusammengestückelten Fliesen-Muster am Boden erzeugen bewußt den Eindruck von »schäbiger Eleganz«, wie ein anderer Beobachter feststellte. Czech meint dazu: »Ich verwende Materialien, die durch Alter – oder neuerliche Verwendung – Assoziationsketten auslösen; und Formen, die nicht durch Neuartigkeit, sondern durch ihren Zitatcharakter überraschen. Architektur soll nicht belästigen. Der Kaffeehausgast muß nichts davon bemerken, es könnte immer so gewesen sein.

30

Wer aber will, soll immer wieder, auch stundenlang und nach Jahren noch, Dinge entdecken können, die seinen Geist beschäftigen und Einverständnis oder auch Erstaunen wecken über den, der das ersann.« Hier kündigt sich hinter dem aparten Zurücknehmen vordergründiger Eitelkeit ein neues Selbstverständnis an, woraus eine Art literarischer Architektur erwächst, die man erst zu lesen und zu genießen lernt, wenn man auch die Vorgeschichte kennt.

Bei den ruppigen Saalkirchen von *Appelt, Kneissl und Prochazka* in scheußlich-brutalen Wiener Neubau-Gebieten ist das äußerlich zwar alles anders, aber der Geist denkt ähnlich. Diese Architekten machen im eigentlichen Sinne Pop-Architektur. Sie bauen so, daß sie annehmen können, die Leute, die ihre Architektur benutzen, verstehen diese auch. Das Banale wird zum Konzept: Eine Mischung aus Markthalle, südlicher Arkaden-Architektur, tropischem Leichtbau, amerikanischem Drive-In-Restaurant, grellem Las-Vegas-Stil, billiger Do-it-yourself-Bauweise und hundsgemeiner Häßlichkeit (zum Beispiel die Beliebigkeit sprossenloser Norm-Fensterlöcher in den Arkadenfeldern) reizt die Sinne zunächst zum Widerstand und dann allmählich zu der erstaunten Frage: Warum eigentlich nicht?

Der so raffiniert gewöhnliche Bau am Rennbahnweg mit dem flachen Walmdach und dem die einfache Grundfigur noch einmal in verkleinerter Form wiederholenden zweiten Walmdachaufsatz ist immerhin ein Angebot zur Inbesitznahme und darüberhinaus auch ein Angebot in Architektursprache. Denn die Einzelheiten des Vokabulars sind witzigerweise fast »palladianisch« klassisch. Nur die Verwendung und Ausführung sind verfremdet. Robert Venturis irritierende Lehre, daß die ohne Architekten errichtete Alltagsbauten nur geringfügiger Korrekturen durch

Architekten bedürften, um auch ästhetisch brauchbar zu werden, ist hier erstmals in Österreich provokativ verwirklicht worden. Ich befürchte nur, daß diese »architettura povera« ihren widerborstigen Ausfallstraßen-Charme verliert, wenn sie eilfertig Schule machen sollte und zur Manier wird. Nur wenn der Impetus ehrlich bleibt, wirklich alternativ zur Glamour-Architektur bauen zu wollen, wird auch dieses »Dritte Welt«-Ambiente in einer saturierten Welt als Mahnung und Chance begriffen.

Der Pluralismus der Möglichkeiten in der österreichischen Architektur von heute ist immerhin erstaunlich und belebend: Am selben Tage kann man sich die formale und stoffliche Eleganz des Juweliergeschäftes Schullin, die gekonnte Alltäglichkeit der Kirche am Rennbahnweg, den apparativen Reiz eines ORF-Studios und die plastische Wucht des Wotruba-Baus zu Gemüte führen.

Vielleicht ist es gelungen, in diesem Buch sowohl die Vielseitigkeit als auch den gemeinsamen Hintergrund der gegenwärtigen österreichischen Architektur-Szene, die inzwischen eher Wagner, Hoffmann, Loos, Frank – und Venturi in ihrem Blickfeld hat als »Mies van der Rohe«, einigermaßen akzentuiert darzustellen. Lücken sind in dieser essayistischen Betrachtung zweifellos vorhanden. Das war für einen Beobachter aus dem Nachbarland auch gar nicht zu vermeiden. Doch aus der Not, die Vollständigkeit nicht zuläßt, kann auch eine Tugend werden, wenn man den subjektiven Zugang zur Gesamterscheinung der österreichischen Architektur wie einen Filter versteht, den man sinnvollerweise immer dann anwendet, wenn es um die Zusammenfassung und Würdigung von Tendenzen geht, nicht aber um eine Dokumentation des absoluten österreichischen Bauvolumens der letzten zwanzig Jahre.

DOKUMENTATION

Die Erläuterungen wurden nach Baubeschreibungen der Architekten verfaßt. Die Jahreszahlen nennen das Jahr der Fertigstellung. Pläne und Fotos wurden von den Architekten zur Verfügung gestellt.

CLEMENS HOLZMEISTER
Neues Festspielhaus, Salzburg
1960

Bei der Erweiterung des alten Festspielhauses und der Hinzufügung neuer Baukörper wurde auf das Stadtbild und die Bewahrung historisch wertvoller Teile Rücksicht genommen. Um die nötige Tiefe der Bühne zu erreichen, wurde ein ca. 15 m tiefes Bogensegment aus dem Mönchsbergfelsen herausgeschält. Die Breite der Bühne mißt 43 m. Der Zuschauerraum faßt 2160, mit überbautem Orchester 2300 Personen. Die gesamte aufgehängte Decke des Zuschauerraumes wird von 2,50 m hohen Stahlbindern getragen, die Spannweite beträgt 27 m, daraus ergab sich als Dachform ein sechsteiliges Grabendach. Links umschließen das Bühnenhaus der neu gebildete Werkhof, das Werkstättengebäude, in welches auch eine der Seitenbühnen hineinragt, und die vier Geschosse der Künstlergarderoben, die an den straßenseitig gelegenen Trakt der Verwaltung und einiger Probesäle anschließen. Rechts vom Bühnenhaus liegen eine Neben- und Abstellbühne, technische Betriebsräume, Räume für Dirigenten und Regie sowie Probebühnen.

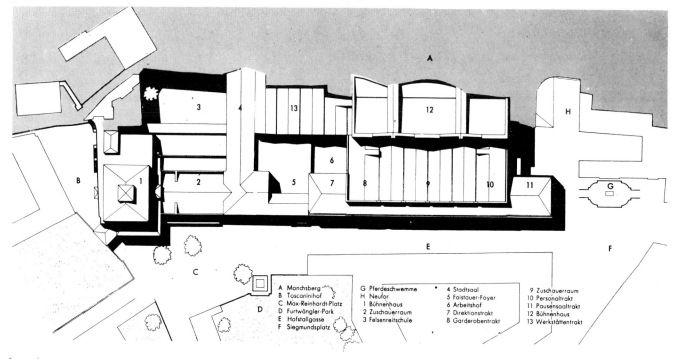

A Mönchsberg	G Pferdeschwemme	4 Stadtsaal
B Toscaninihof	H Neutor	5 Faistauer-Foyer
C Max-Reinhardt-Platz	1 Bühnenhaus	6 Arbeitshof
D Furtwängler-Park	2 Zuschauerraum	7 Direktionstrakt
E Hofstallgasse	3 Felsenreitschule	8 Garderobentrakt
F Siegmundsplatz		

9 Zuschauerraum
10 Personaltrakt
11 Pausensaaltrakt
12 Bühnenhaus
13 Werkstättentrakt

Lageplan

Gesamtansicht, links Felsenreitschule, rechts neues Festspielhaus mit Bühnenbaukörper

Großer Saal

Eingangshalle

36

Festspielhaus Salzburg mit Blick in die Hofstallgasse

KARL SCHWANZER
Museum des 20. Jahrhunderts, Wien
1962

Der Museumsbau im Wiener Schweizergarten entstand als Fertigteilbauwerk, das erstmalig als Österreichpavillon der Weltausstellung in Brüssel 1958 errichtet wurde. Der Pavillon war ein quadratisches, würfelförmiges Gebäude, dessen Grundriß sich in 2 x 2 m große Quadrate aufrasterte. Der zentrale Innenhof von 8 x 8 2-m-Einheiten wurde als Museumsbau geschlossen. Im Erdgeschoß wurde die Umschließung durch Glaswände und durch massive Wandabschlüsse erreicht. Das Museum und der dahinterliegende Plastikhof dienen als permanente Ausstellung und bieten Raum für Wechselausstellungen.

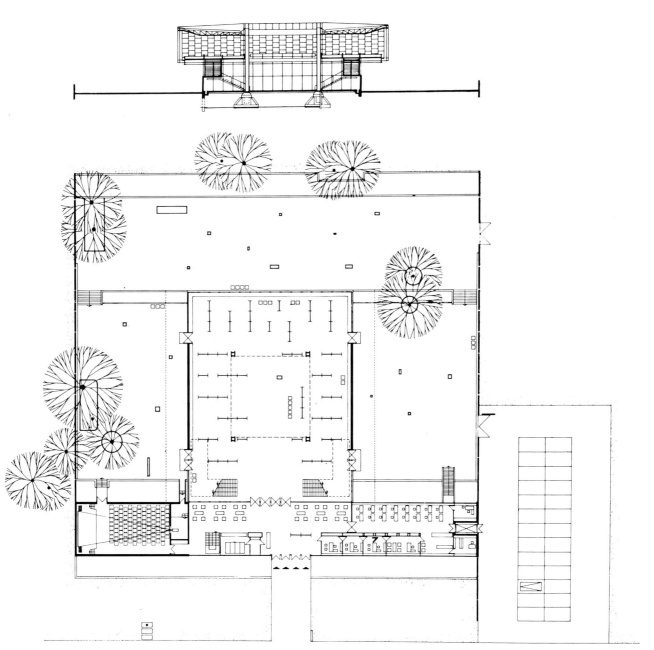

Grundriß Eingangsgeschoß

Museumsbau mit Plastikenhof

Ausstellungsraum Erdgeschoß und Obergeschoß

ARBEITSGRUPPE 4
(Wilhelm Holzbauer, Friedrich Kurrent, Johannes Spalt)

Kolleg St. Josef, Salzburg, Aigen
1964

Das Bauwerk steht inmitten eines mit hohen Bäumen bestandenen alten Parks und zeigt eine allseitig freie Entwicklung des Baukörpers. Die konzentrische Anlage beherbergt in der Mitte die Kapelle, die von einem zweigeschossigen Umgang umschlossen ist. Um diesen herum sind im Erdgeschoß Speisesaal und Küche, Bibliothek und Rekreationsräume angeordnet. Im Obergeschoß sind 40 Einzelzimmer untergebracht. Zimmer, Balkone und Galerie ergeben sich konstruktiv aus einer doppelten Stützenreihe und beiderseitigen Auskragungen. Drei solche Reihen von Zellen und die Eingangsgruppe an der vierten Seite umschließen den durch Lichtkuppeln intensiv erhellten mittleren Bereich mit Umgang und Kapelle. Der gesamte Bau wurde in Stahl ausgeführt, wobei die vertikalen Teile in Walzprofilen, die Deckenbalken und die durchgehende Dachkonstruktion aus V-förmigen Blechträgern gebildet sind. Alle konstruktiven Teile sind innen und außen rot, alle nichttragenden Stahlteile weiß gestrichen. Die Wände der Kapelle sind in Nußholz, die Außenwände bestehen aus vorgefertigten Platten.

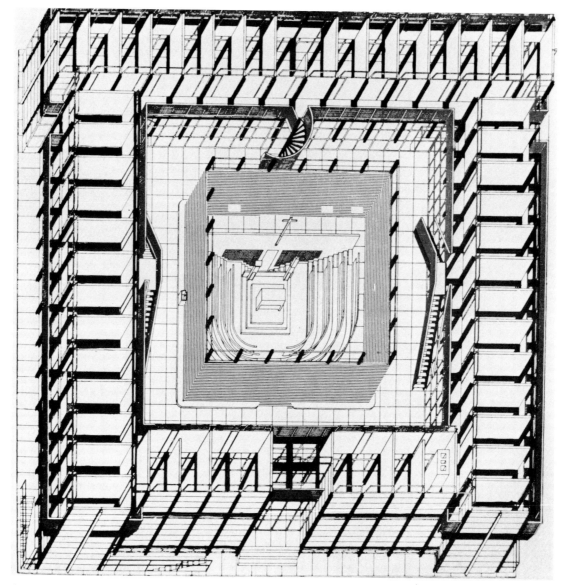

Axonometrische Darstellung

Blick vom Park

Eingangsseite

GUSTAV PEICHL
Schule »In der Krim«, Wien
1964

Die achtklassige Volksschule zwischen Flotowgasse und Arbesbachgasse in Wien-Döbling wurde als erste Atriumschule Österreichs konzipiert. Die Berücksichtigung der Wohnlichkeit und des Maßstabes des Kindes wurden in den quadratischen, doppeltbelichteten Klassen und vorgelagerten Freiluftklassen in dieser kompakten Anlage besonders gewährleistet. Der Bau ist eine ausgemauerte Stahlbetonskelettkonstruktion mit weiß verputzten Außen- und Innenflächen mit Holzfenstern. Im Zentrum des vorgelagerten Eingangsbereiches steht eine Stahlplastik von Wander Bertoni.

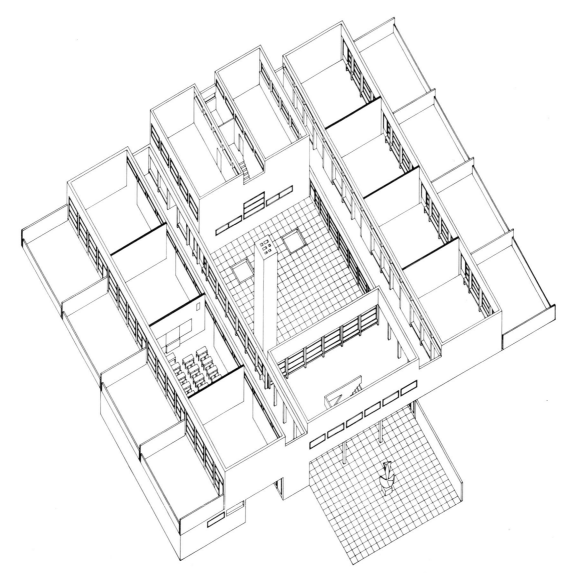

Axonometrische Darstellung

42

Haupteingang

Freiluftklassen

HANS HOLLEIN
Kerzengeschäft Retti, Wien
1965

Das Lokal liegt am Kohlmarkt, dem exklusiven Geschäftsviertel Wiens. Die Gestaltung entspricht in ihrem Charakter der besonderen Lage, der beschränkten Größe und dem Zweck. Das verwendete Material ist geschliffenes Aluminium, naturbelassen und eloxiert, sowohl außen als auch im Innenausbau. Es gibt keine Trennung zwischen außen und innen, weder räumlich noch materialmäßig. Die Raumkonzeption wurde stark in der dritten Dimension (mit räumlichen und plastischen Mitteln) erarbeitet, illusionäre Raumteile erweitern die realen Bereiche. Psychologische Mittel sowie Lichtführung und Beleuchtung sind als wesentliches Medium der Mitteilung und der Raumstimmung eingesetzt.

Alle technischen Einrichtungen, wie Ventilatoren und Klimageräte, sind als integrierende Elemente in die Konzeption einbezogen. Innerhalb einer übergeordneten Raumordnung ist eine Vielzahl von Kombinationen der Aufstellung des Verkaufsmaterials gegeben.

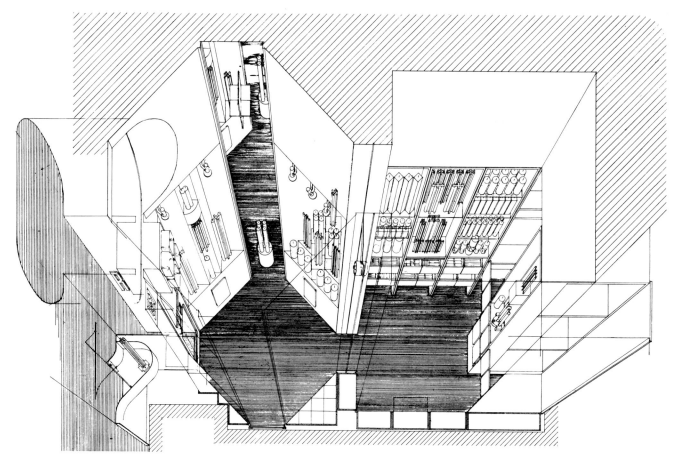

Perspektivzeichnung (von oben)

44

Außenansicht

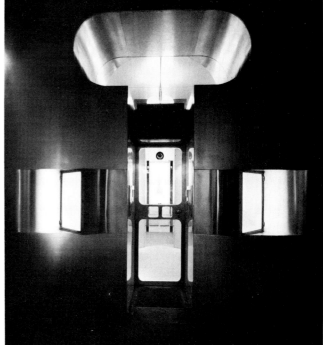

Eingang mit Vitrinen

Innenraum

Türdetail

45

ROLAND RAINER
Stadthalle Ludwigshafen
1965

Der 60 x 60 m große Hallenraum wird durch ein hyperbolisches Paraboloid überdeckt, das aus 2 x 2 m großen, 7 cm dicken, vorgefertigten Betonplatten zwischen Ortbetonrippen besteht, die nach Einhängen der Fertigteile in die Bewehrungseisen der Rippen gegossen wurden – eine hervorragende Leistung der für die statische Berechnung und Bauausführung verantwortlichen Firma Dyckerhoff & Widmann, München. Die auf Zug beanspruchten hyperbolischen Rippen setzen an vier große, als Kastenträger ausgeführte, Wandscheiben an, die die Tribünen tragen. Ihre Zugkräfte wirken dem Gewicht der auskragenden Wandträger entgegen und entlasten sie; in der weiteren Auskragung dieser Wandträger kommt dieses Zusammenwirken von Dach- und Tribünenkonstruktion zum Ausdruck. Dagegen werden die Kräfte der quer zu den Zuggliedern liegenden Druckglieder von den erwähnten Wandträgern zu zwei Fußpunkten zusammengeführt, deren Seitenschub durch ein Stahlbetonzugglied aufgenommen wird, das die beiden Fußpunkte unter dem Hallenfußboden miteinander verbindet. Gewöhnlich bleibt dieses wichtige Zusammenspiel von Gewölbe – und Zugband unsichtbar und die Konstruktion damit schwer verständlich. Im Interesse einer verständlicheren Wirkung des Bauwerks wurde im vorliegenden Fall das Gelände beiderseits der Halle so weit abgesenkt, daß das Zugband und seine Verbindung mit den beiden Gewölbefüßen und deren Aufleger sichtbar bleiben.

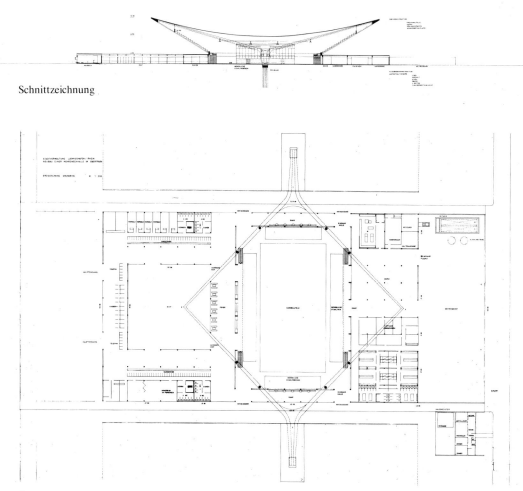

Schnittzeichnung

Grundriß

46

Ansicht mit parabolischem Dach

Tribünenkonstruktion von außen

ERNST HIESMAYR
Villenhotel Clima, Wien
1966

Die kleine Wohn- und Hotelsiedlung auf den Bockkeller-Gründen in Wien-Nußdorf ist eine Anordnung von Baueinheiten nach einem konstruktiven und tektonischen Raster. Jeder Wohngruppe ist eine eigene Grünfläche zugeordnet, die kleine, durch die Staffelung bedingt, intime Bereiche schafft. Es handelt sich bei dieser Baustruktur nicht um ein Hotel herkömmlicher Art, sondern um ein differenziertes Gebilde mit Apartments unterschiedlicher Größe, Ledigenwohnungen, kleinen, Mittel- und Großwohnungen sowie einem Atelier. Für die einzelnen Häusergruppen wurde Sichtbeton für Mauer und Konstruktion verwendet. Fenster und Türen sind aus Holz. Alle Räume haben Fußbodenheizung, die Anlage ist zentral beheizt, besitzt eine zentrale Garage, eine Sauna mit Hallenbad und Gemeinschaftsräume.

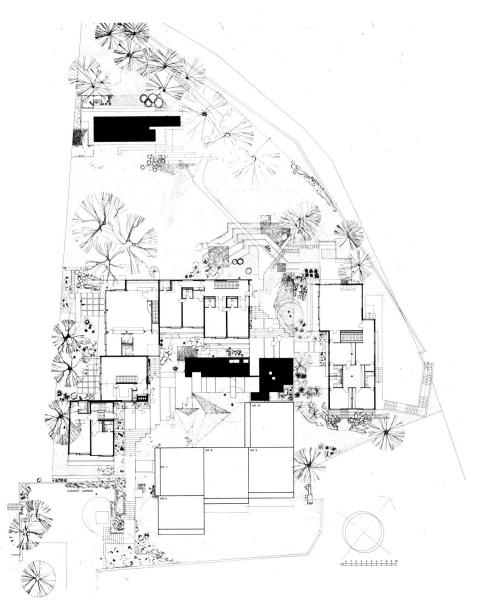

Lageplan

48

Villenhotel – Wohnsiedlung mit Gartenanlage

JOSEF LACKNER
Kirche Völs, Innsbruck
1967

Neben der liturgischen Disposition ist für die äußere und innere Form des Pfarrkirchenbaus Völs in Tirol das an den vier Ecken aufgehängte Dach bestimmend. Die Verformung der Außenwand bis zur Höhe von fünf Metern gliedert Baumasse und Innenraum. Die Ecken und Nischen nehmen alle Funktionsbereiche organisch auf. Das Fensterband, in den Dachebenen einge-legt, läßt das Licht auf die Schrägen und Kanten fallen, also indirekt den Raum erhellen. Die Wände sind in Mantelbetonbauweise errichtet, beidseitig grob verputzt und weiß gestrichen. Das Weiß des Außen- und Innenputzes sowie des Fußbodens steht im Gegensatz zur naturbelassenen Holzkonstruktion des Daches. Alle Einrichtungen sind materialmäßig einfach in der Formgebung, aber überlegt. Das eingehängte Dach ist als geleimte Holzkonstruktion mit Sperrholzaufachung erstellt, die Umfassungsmauern sind linear und räumlich so verformt, daß sie die Einzelbereiche des Raumes bilden und die äußere Erscheinung fixieren.

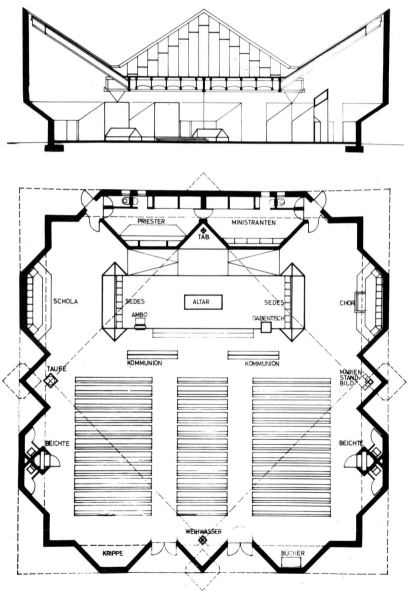

Schnittzeichnung und Grundriß

Seitenansicht

Innenraum

GUSTAV PEICHL
Rehabilitationszentrum Meidling, Wien
1968

Das Rehabilitationszentrum Wien-Meidling ist ein Sonderspital für Hirnverletzte. Der Zentralbau mit drei Krankentrakten nimmt fünfzig Krankenbetten, vorwiegend in Dreibettzimmern, und die notwendigen Therapieräume auf. In jedem der drei Trakte des Stahlbetonfertigteilbaues wurden neben den sanitären Einrichtungen die dazugehörigen Nebenräume um eine zentrale Halle geplant. Für die Ärzte des Hauses und die Konsiliarärzte wurden Behandlungszimmer eingerichtet. Die Vorfahrt für PKW im Untergeschoß, der Eingang im Erdgeschoß und die eigentliche Kranken- und Bettenstation im Obergeschoß gewährleisten einen störungsfreien Betrieb. Direkt von der Krankenstation aus sind Terrassen so angeordnet, daß zu jeder Tageszeit sowohl besonnter als auch schattiger Aufenthalt im Freien möglich ist. Für die Behandlung und Rehabilitation wurden im Untergeschoß Einrichtungen für Logopädie und Heilpädagogik untergebracht. Die Rehabilitation wird ärztlich und psychologisch systematisch betrieben.

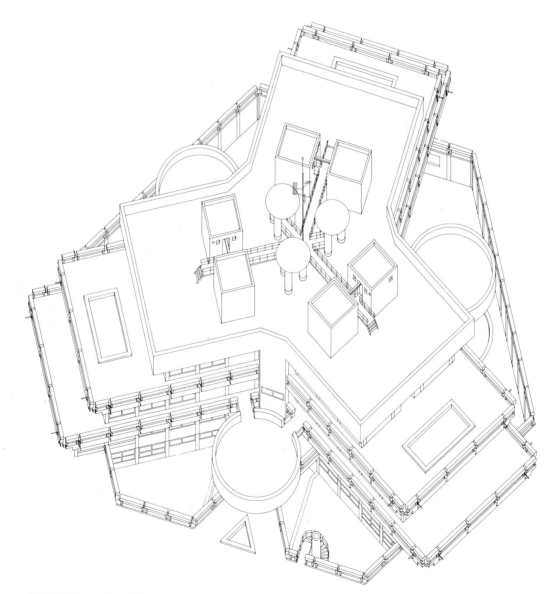

Axonometrische Darstellung

52

Gartenansicht mit Gehhügel

Dachaufbauten (Lüftungsanlagen)

53

GERHARD GARSTENAUER
Felsenbad Badgastein, Salzburg
1968

Das Wesen der Aufgabe dieses Bades ist die organische Verbindung von Kur und Sport. Neben der Erfüllung rein funktioneller Bedürfnisse basiert die architektonische Konzeption im wesentlichen auf folgenden Grundforderungen:
Einbindung des Sportbeckens der alten Badeanstalt und Anbindung an die verschiedenen topographisch bedingten Höhenverhältnisse – Einbindung in die Landschaft.
Aus Platznot bedingte Schaffung zusätzlicher Bauflächen in der Art, daß vor allem die Badehalle aus dem Berg herausgesprengt und die Felswände zur natürlichen Begrenzung des Raumes werden konnten.

Besondere Vereinfachung der architektonischen Mittel und Beschränkung in der Verwendung der Materialien: Fels, Beton, Holz und Glas.
Die Gesamtanlage wird durch einen von Ost nach West verlaufenden Hauptbaukörper bestimmt, dem im Süden breite, abgetreppte Sonnenterrassen und das eigentliche Freibad mit Blick auf das Gebirge vorgelagert sind. Im Osten, direkt in den Hang hineingebaut, liegt als niedriger Quertrakt die Ruhehalle, von der sich im Winter wiederum eine Aussicht auf die Hänge des Stubnerkogels bietet. Konstruktiv handelt es sich um einen schalrein belassenen Skelettbau, dem vorgefertigte Betonteile an Brüstungen und Geschoßkanten vorgesetzt wurden. Die Raumtrennung erfolgte jeweils durch nichttragende Alu-Glas- bzw. beidseitig mit Lärche verschalte Holzwände. Alle Deckenflächen wurden mit Sperrholz-Blendschutzraster, alle Fußböden und feuchtigkeitsgefährdeten Wandflächen mit weißem Glasmosaik abgedeckt.

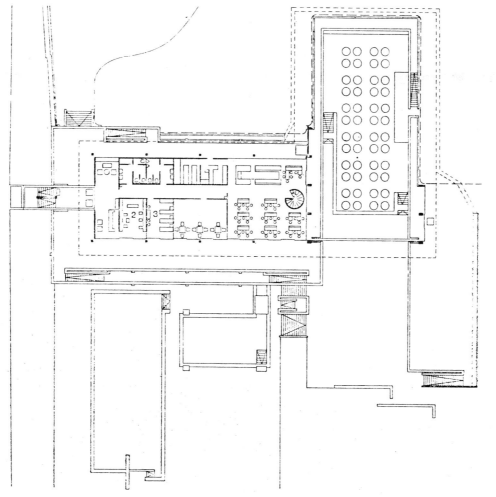

Grundriß

Ansicht mit Sonnenterrassen

Hallenbad

JOHANN GEORG GSTEU
Bildhauerunterkunft St. Margarethen, Burgenland
1968

Die landschaftliche Situation in der Weiträumigkeit des burgenländischen Weinbaugebiets und der winkelförmige Altbestand in Sandsteinmauern waren Ausgangspunkt für die Neulösung der

niederen eingeschossigen Unterkunft für Bildhauer des Symposions. Die additiv angeordneten Dachelemente bilden ein Vordach und gedeckte Zugänge und kündigen die Innengliederung des Gebäudes an. Die Arbeitsweise der Benützer, der Aspekt der wirtschaftlichen Instandhaltung sowie die speziellen klimatischen Verhältnisse waren maßgebend für die Gliederung der grundrißlichen Lösung und der Materialwahl (Sandstein und Beton) für diesen »Ort«.

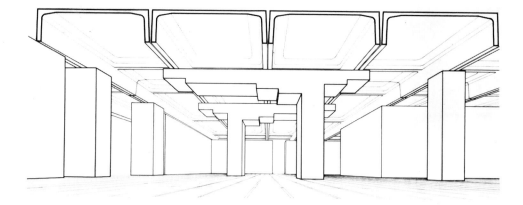

Schnittperspektive

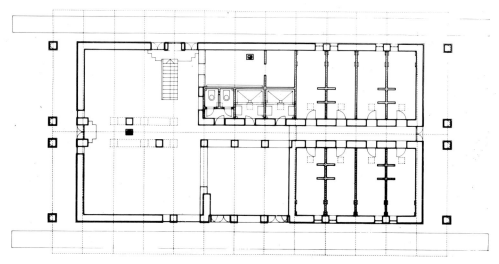

Grundriß

Ansicht mit gedecktem Umgang

Innenraum

HANS PUCHHAMMER / GUNTHER WAWRIK
Wohnhaus Widtmann, Wien
1968

Das Haus liegt an einem steilen Südhang mit Ausblick auf Perchtoldsdorf und den Wienerwald. Das Grundstück ist nur knapp 15 m breit und 90 m lang, bei einem durchschnittlichen Längsgefälle von zirka 30% in der oberen Hälfte. Zugang und Zufahrt erfolgen von der oberen Schmalseite des Grundstücks. Da die Richtung der Hauptaussicht um etwa 30° gegenüber der Längsrichtung des Grundstückes abweicht, entstand die Idee, den Grundriß in der Diagonale zu entwickeln. Diese Diagonalent-

wicklung im Grundriß wird durch die Höhenentwicklung noch unterstrichen. An der Südweststrecke, diagonal gegenüber dem Hauseingang, ist der Wohnraum mit einer 3 m breiten Schiebetür gegen die Gartenterrasse geöffnet. Eine offene Loggia spendet Schatten und schafft den Übergang zum Garten. Im Obergeschoß sind fünf kleine Schlafräume mit Bad und Dusche und eine vorgelagerte, nach Südwesten geöffnete, Dachterrasse angeordnet. Die tragenden Wände wurden aus Planblockmauerwerk ausgeführt, das außen farblos behandelt und innen fein geputzt wurde. Die skelettartigen Teile bestehen aus Stahlbetonfertigteilen. Die Stahlbetonplattendecken wurden im Wohngeschoß sandgestrahlt. Alle Türen und Fenster sind aus Eichenholz.

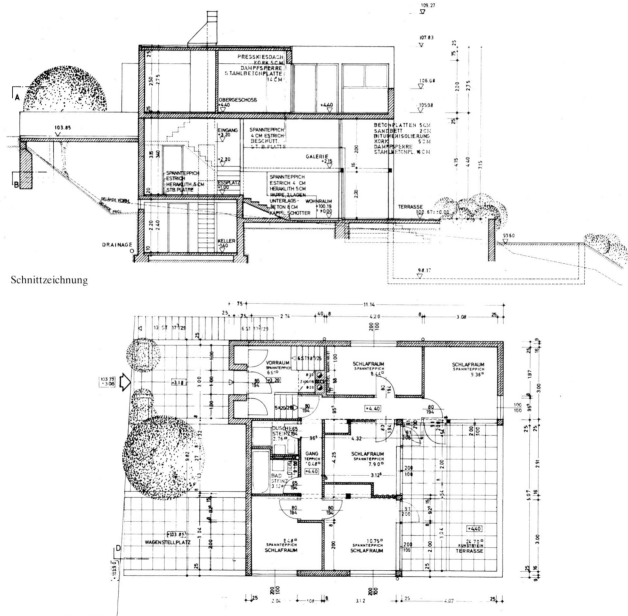

Schnittzeichnung

Grundriß

Ansicht mit Terrasse

Eingang

Wohnraum

ROLAND RAINER
Gartenstadt Puchenau bei Linz, Oberösterreich
1. Bauteil Puchenau II
1969

Der erste Teil der am linken Donauufer von Linz liegenden Gartenstadt Puchenau wurde 1969 fertiggestellt: mit 159 ebenerdigen Atriumhäusern und zweigeschossigen Einfamilienreihenhäusern an 1,5 bis 3 m breiten, zum Teil unter Dach geführten Fußwegen, sowie 76 Wohnungen in viergeschossigen Mehrfamilienhäusern, die als Schallmauer an der dahinter liegenden Straße die Gartenstadt schützen. Nachdem eine im öffentlichen Auftrag durchgeführte ausführliche Untersuchung über Wohnerfahrung

und Wirtschaftlichkeit der fußläufigen Gartenstadt sehr günstige Ergebnisse, insbesondere auch hinsichtlich der Freizeitfunktion, erbracht hatte, wurde 1979 mit dem Bau des zweiten, insgesamt 750 Wohnungen umfassenden Teils begonnen, dessen erster Bauabschnitt als Demonstrativbauvorhaben des Bundesministeriums für Bauten und Technik durchgeführt wird, das die bei der Benutzung des ersten Bauteils gewonnenen Erfahrungen nutzen und darüber hinaus insbesondere zeitgemäße Energiefragen, besonders die passive und aktive Nutzung von Sonnenenergie, zu behandeln hat. In 18 Häusern werden die gegenseitigen Beeinflussungen von Solarenergie mit verschiedenen geeigneten Heizungssystemen, insbesondere Luftheizung, Fußbodenheizung usw. erprobt. Die in diesem zweiten Bauabschnitt verwendeten Typen wurden in dem 1977 fertiggestellten Bauteil Puchenau Ost als Probe- bzw. Musterwohnungen ausgeführt.

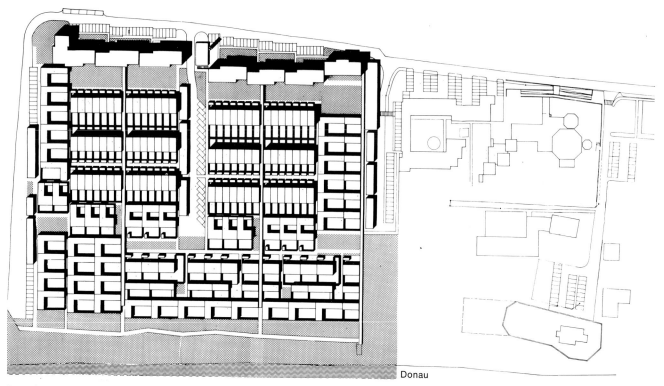

Schnitt: Links Straße und Bahn mit anschließender 4geschossiger Bebauung als Schallmauer, dahinter Einfamilien-Reihenhäuser und Atriumhäuser, Donaupromenade

Donau

Lageplan

Blick auf Puchenau Ost

Wohngasse

Wohngasse mit Hauseingängen

62

Kinderspielplatz

ROLAND RAINER
Haus Bösch, Wien
1970

Das an einem steilen Nordhang in Wien-Hietzing liegende Haus Dr. Bösch ist in Form eines »Raumplanes« in mehreren Ebenen entwickelt: Wohnraum mit Blick auf die tiefer liegenden baumbestandenen Gärten und dahinter mit Fernsicht auf Wien auf der obersten Ebene, 1 m tiefer der Eßplatz mit anschließender, nach Süden orientierter Terrasse, sowie vier Schlafzimmer und 2 Bäder, diese Räume um ein Atrium gruppiert, das infolge seiner hohen Lage nicht eingesehen ist, ein Geschoß tiefer Eingang, Gästeapartment, Heizraum und Hobbyraum. So entwickelt sich das Haus über mehrere Ebenen; jede Ebene besitzt einen oder mehrere Ausgänge auf angrenzende Terrassen, die auf der Südseite in den anschließenden Obstgarten, auf der Nordseite in eine Rasenfläche mit alten Bäumen übergehen. Der Baumbestand wurde sorgfältig berücksichtigt; er ist ein wesentliches Element der Raumbildung, besonders im südlichen Teil. Das gesamte Haus ist aus alten, handgeschlagenen, unterschiedlich verfärbten und unverfugten Ziegeln errichtet. Sie wurden aus dem Abbruch alter Mietshäuser gewonnen. Die Decken werden von schwarz gebeizten, nach unten sichtbar gelassenen Holzbalken getragen. Die Wohn- und Schlafräume sind mit Eichenböden, die Treppenhäuser und Flure mit Steinböden ausgestattet. Größtes Gewicht ist auf Transparenz im Hausinneren gelegt, auf die Erlebbarkeit des »Raumplanes«. Man blickt vom Wohnraum nicht nur durch eine große Fensterwand und ein schräg aus der Fassade vorstehendes Auslugfenster über Wien, sondern gleichzeitig auf den anschließenden, tiefer liegenden Eßplatz und in das Atrium sowie über die geradlinig hinunterführende Treppe in die mittlere Eingangshalle, von der Küche aus über das Atrium in die Schlafräume und die offene Treppenhalle. Der Garten ist von einer etwa 2 m hohen Mauer bzw. von den Stützmauern aus demselben Material wie das Haus umgeben. Die Dachwässer werden über Wasserspeier in offene Wasserbecken geführt. Der Garten ist dicht bepflanzt.

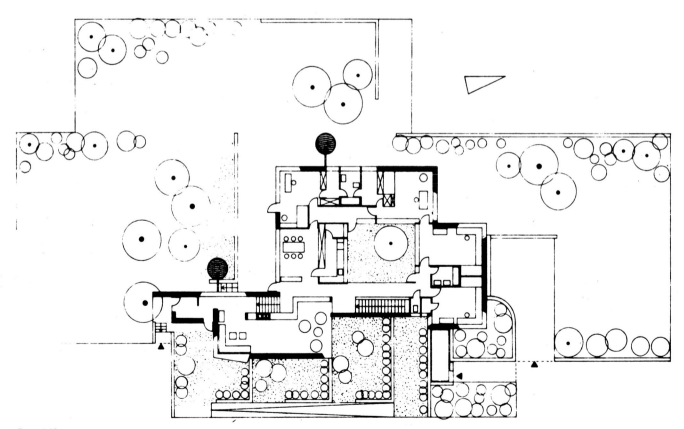

Grundriß

64

Ansicht von Norden

Innenraum

KARL SCHWANZER
Pfarrzentrum Leopoldau, Wien
1971

Der Fassungsraum der Kirche in Wien Leopoldau wurde für 216 Personen, der des Pfarrsaals für 140 Personen konzipiert. Die eigentliche Kirche, das Foyer, der Pfarrsaal und das Pfarrhaus sind jeweils nach der Zylinderform konzipiert und zu einer kompakten Baugruppe mit verschiedenen Höhen durchgeformt. Das gesamte Bauwerk wurde außen und innen in Sichtziegelmauerwerk ausgeführt, eine Speichenrad-Dachkonstruktion mit abgehängter Lamellendecke bildet die Dachform. Die Nebenräume – Pfarrkanzlei, Bibliothek und Sitzungszimmer – sind, ebenso wie die Seelsorgeeinrichtungen, um einen Innenhof gruppiert, in einem Rundbau untergebracht. Die Grundrißflächen des Foyers und des Vorplatzes werden zwischen den drei Rundbaukörpern gebildet.

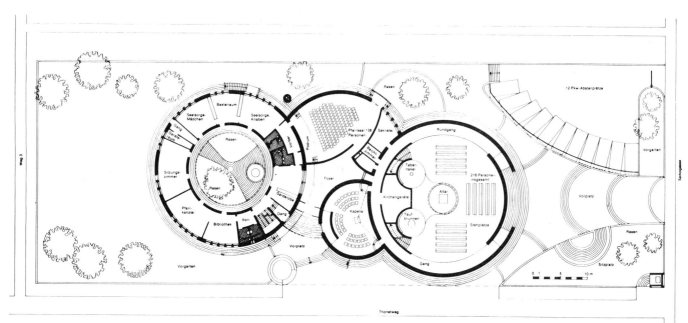

Grundriß

66

Ansicht mit Vorplatz

Kircheninnenraum

67

FRANZ RIEPL
Finsterwalderhof Hittenkirchen, Oberbayern
1971

Im Wechsel von freier Landschaft und Gebäuden wird die Umgebung von Hittenkirchen durch kleine Dorfsiedlungen und dazwischenliegende Einzelgehöfte bestimmt. Die Aussiedlung einzelner Gehöfte in die freie Flur ist ortsüblich, muß aber, um sich organisch in die Landschaft einzufügen, in solcher Entfernung von den Dörfern durchgeführt werden, daß sie mit dem Ortsbild nicht konkurrieren. Das mäßig nach Norden abfallende Grundstück ist im Hofbereich leicht gewölbt. So wird von der natürlichen Bodenbewegung vorgezeichnet, wo überhaupt in

diesem Flurteil eine Baugruppe stehen kann. Grundlage für den Entwurf war ein Raum- und Funktionsprogramm für einen Zuchtbetrieb von 60 Milchkühen und 20 Jungtieren. Für die verschiedenen Funktionen sind also möglichst eigenständige, verschieden dimensionierte Gebäude notwendig, die variabel genutzt werden können. Die Wohnungen, die Büroeinheit, die Garagen und die Werkstätten sind in einem Trakt zusammengefaßt, der auch in seinen Ausmaßen gegenüber den anderen Bauten die ihm zustehende Bedeutung ausdrückt und sich in der Baugruppe behaupten kann. Die Tragkonstruktion aller Gebäude setzt sich aus Stahlbetonfertigteilen zusammen: dem Köcherfundament, der Stütze und der eigens entwickelten Dachschale. Da die Schale wasserdicht ist, entfällt jede Eindeckung.

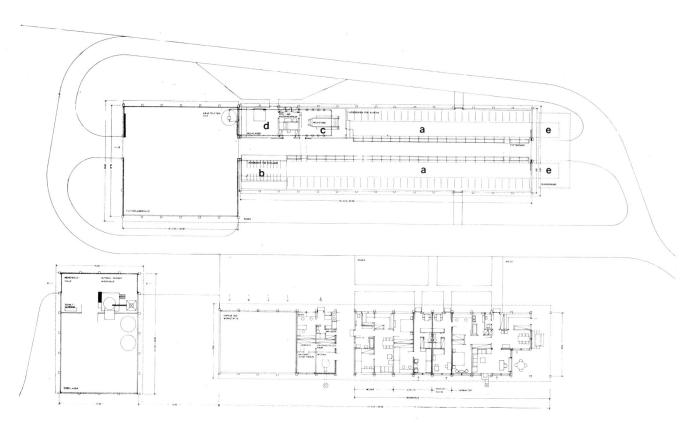

Grundriß

68

Gesamtansicht

Dachschalen Fertigteilkonstruktion

KARL SCHWANZER
Wirtschaftsförderungsinstitut St. Pölten, Niederösterreich
1972

Die Haupteingangszone der Anlage erstreckt sich quer durch das Bauwerk. Vom Windfang des nördlich gelegenen Haupteinganges aus sind der Zugang zum Veranstaltungsteil, zum Lehr- und Werkstättentrakt und der Zugang zum Besuchergang sowie die Internatsrezeption und das Espresso erreichbar. Die Benützer des neuen Lehr- und Werkstättengebäudes sind in den meisten Fällen Kursteilnehmer aus handwerklichen Gewerbebetrieben Niederösterreichs, in denen vielfach noch das Empfinden für materialgerechtes Gestalten und Verarbeiten wach ist. Aus dieser Erkenntnis wurde zusammen mit einer werkgerechten Materialauswahl bei der Baugestaltung angestrebt, die im sogenannten »anonymen Bauen« noch lebendige Plastizität eines künstlerischen Gesamtbildes mit den dem augenblicklichen Stand der Technik entsprechenden Baumethoden zu erreichen. Das monolithisch gegossene und plastisch gestaltete Bauwerk aus Stahlbeton mit der Sichtbetonoberfläche bot die Möglichkeit einer differenzierten Gestaltung. In der Durchbildung des Innenausbaues, insbesondere in der funktionell großzügigen Raumanordnung, sollte der Jugend der Gewerbebetriebe ein Beispiel für rationelle und zeitgemäße Betriebs- und Arbeitsplatzgestaltung vorgeführt werden.

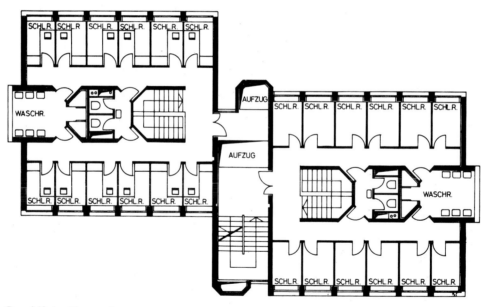

Grundriß der Obergeschosse

70

Ansicht der Gesamtanlage

Innenraum Verbindungsgang

KARL SCHWANZER
BMW-Verwaltungsgebäude München
1972

Bei der städtebaulichen Konzeption war die Heraushebung der dominierenden Baumasse des Verwaltungsgebäudes in einem kompakten Hochhaus im Gegensatz zur heterogenen Werksanlage beabsichtigt. Die Lösung zeigt die logische Entwicklung von der traditionellen, kommunikationsgünstigeren Gebäudeform mit Mittelgang zur vollflexiblen Bauform. Bei kürzerer, horizontaler Verbindung zwischen den Arbeitsgruppen und Abteilungen ist jede dem Arbeitsablauf entsprechende Anordnung möglich. Bei der Baukörpergestaltung wurden klar ablesbare Formen gewählt, die Präzision, technische Vollkommenheit und Form als Ausdruck und Assoziation zum Image einer Automobilfabrik vermitteln. Die plastische Durchbildung der Außenhaut ergibt eine klare Durchmodellierbarkeit der Initialform. Das Verwaltungsgebäude ist eine 100 m hohe Hängekonstruktion aus Beton. Die Konstruktion wurde gemeinsam mit dem Bauverfahren im Hinblick auf Wirtschaftlichkeit und kürzeste Bauzeit entwickelt.

Grundrisse Regelgeschoß, Einzelbürogeschoß, Technikgeschoß

72

Luftbild (im Vordergrund Museum)

Garagengebäude

Museum Innenraum

74

Bürohaus

GUSTAV PEICHL

ORF-Bundesländerstudios Linz, Salzburg, Innsbruck, Dornbirn
1972

Graz, Eisenstadt
1981

Der Entwurf der Typenstudios für den Österreichischen Rundfunk beruht auf dem System eines elastischen Planungskonzeptes unter Berücksichtigung eines vorgegebenen Raum- und Funktionsprogramms. Das radiale Grundrißlayout ermöglicht Wachstum und Schrumpfung in der Horizontale (radial) und im Bürotrakt zusätzlich in der Vertikale. Die Funkhäuser bestehen aus einem dreigeschossigen Bauwerk mit Antennenplattform. Das Grundrißschema umfaßt zwei Hauptgruppen: die technischen Räume (Zentrum der Anlage) und die Büroräume. Der Funktionsmittelpunkt der Gesamtanlage ist ein Zentralbaukörper mit fünf anschließenden Sektoren. Die einzelnen Sektoren enthalten die Studiogruppen mit Nebenräumen und das Publikumsstudio. Die Stahlbetonfertigkonstruktion wurde nach dem selben Entwurf in den Jahren 1969–1972 in Salzburg, Innsbruck, Linz und Dornbirn und in den Jahren 1979–1981 in Graz und Eisenstadt errichtet.

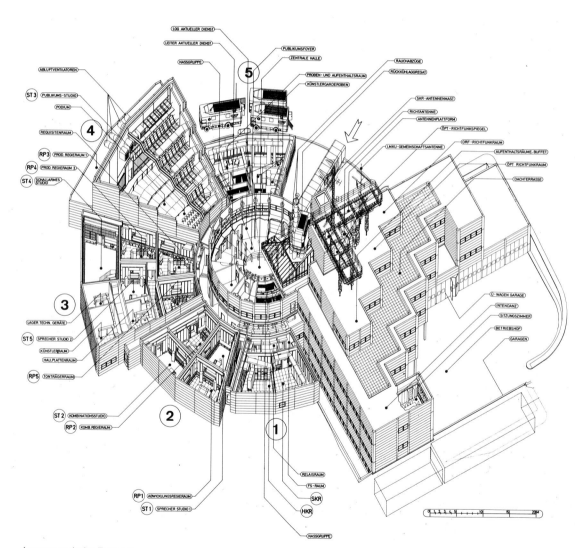

Axonometrische Darstellung

Luftbild Studio Salzburg

Linz 1969 — 1972

Salzburg 1969 — 1972

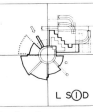

Innsbruck 1969 — 1972

Dornbirn 1969 — 1972

Graz 1978 — 1980

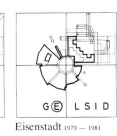

Eisenstadt 1979 — 1981

Studio Salzburg mit Festung Hohensalzburg

Studio Linz

Studio Innsbruck

Studio Dornbirn

GÜNTHER DOMENIG/EILFRIED HUTH
Forschungsinstitut und Rechenzentrum Leoben, Steiermark
1973

Die Österreichische Alpine-Montan-Gesellschaft konzentrierte in unmittelbarer Nähe ihrer Hauptverwaltung in Leoben ein Rechenzentrum und das metallurgische Forschungsinstitut mit dazugehörigen Büroräumen. Städtebauliche Ansprüche waren durch die homogene Dachlandschaft der Altstadt von Leoben gegeben, daher wurde die Höhenentwicklung klar definiert und eine spätere Erweiterung durch die Möglichkeit eines abgehängten 4. Geschosses sichergestellt. Die Beziehung zum Altgebäude

der Hauptverwaltung mußte die Belichtung der bestehenden Büroräume sichern. Die Silhouette des Neubaues wurde im Einklang mit dem Altbestand gestaltet. Die Grundrißform wurde aus diesen Bedingungen heraus entwickelt und durch ein Erreichbarkeitsmodell kurzer Arbeitswege über EDV überlagert. Jedes Geschoß im Büroteil kann als Großraum zusammengezogen oder durch ein eigens entwickeltes Innenwandsystem den Erfordernissen entsprechend unterteilt werden. Die Nebenräume und Verkehrsflächen sind an der zentralen, vertikalen Achse angeordnet. Als Baumaterialien wurden weitgehend Stahl und Stahlblech verwendet, für die Außenteile vor allem ein träg rostender Stahl (Corten). Die eigens für dieses Bauwerk entwickelte Fassade sollte die klimatischen Einflüsse berücksichtigen. Diese Überlegung führte zu einer räumlichen vorgehängten Fassade, die diesem Gebäude seine charakteristische Erscheinung gibt.

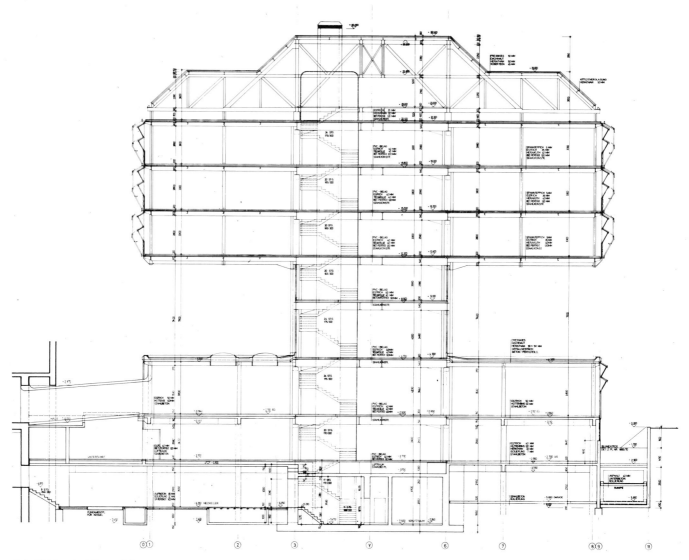

Schnitt Konstruktionszeichnung

80

Gesamtansicht

Konstruktionsdetail

Ansicht der auskragenden Obergeschosse

Büroraum

83

ANTON SCHWEIGHOFER
»Stadt des Kindes«, Wien
1973

In Abkehr von der Idee des ländlichen Kinderdorfes zielt der Entwurf für eine »Stadt des Kindes« in Wien auf eine städtische Umgebung, mit der ausgesprochenen Absicht, den Heimkindern die Anpassung an städtische Verhältnisse zu erleichtern. Darüber hinaus wurde der Gettocharakter der meisten Kinderheime durch vielfältige öffentliche Anbindungen und Einrichtungen vermieden. Aus dem gleichen Grund gibt es – trotz der Größe der Anlage – keine eigene Heimschule. Die Kinder besuchen umliegende öffentliche Schulen. Entsprechend dieser Zielsetzung hat der Bau an Stelle des üblichen umschließenden Dorfplatzes eine durchgehende öffentliche Fußgängerstraße. Von dieser Straße aus werden die 5-geschossigen Familienhäuser (für je 4 Familiengruppen zu 10–12 Kindern), die Jugendhäuser und alle Gemeinschaftseinrichtungen über Nebenstraßen erschlossen; die Nebenstraßen verbinden die Anlage vielfach mit der Wohnbebauung im Südwesten und dem öffentlichen Park im Nordosten. Die Familienwohnungen gehen über zwei Geschosse (Maisonetten); die Jugendhäuser für Jungen und Mädchen liegen über dem Gemeinschaftstrakt und enthalten je 30 zweigeschossige Einbettzimmer (Trennung von Schlaf- und Wohnbereich). Alle Gemeinschaftseinrichtungen sind für Koedukation ausgelegt. Die Gemeinschaftseinrichtungen sind größtenteils öffentlich zugänglich. Manche davon werden von Kindern und Erwachsenen der Umgebung besucht, manche haben überregionale Bedeutung. Im Freizeit- und Sportzentrum finden öffentliche Veranstaltungen und Veranstaltungen anderer Institutionen statt.

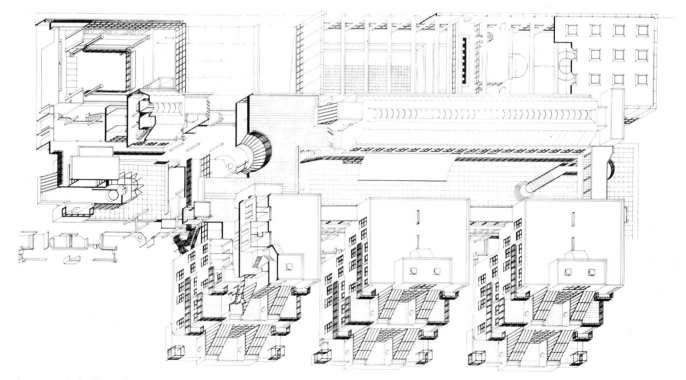

Axonometrische Darstellung

84

Südseite der Familienhäuser

Spiel- und Fußgängerstraße

WERKGRUPPE GRAZ
(Eugen A. Gross, Friedrich Gross-Rannsbach, Werner Hollomey, Hermann Pichler)

Schule mit Sporthalle, Kapfenberg-Walfersam, Steiermark
1973

Die Volksschule für Knaben und Mädchen wurde in einem wachsenden Stadtteil errichtet und bildet zusammen mit anderen Bauten ein Subzentrum in der linearen Stadtanlage der Industriestadt Kapfenberg. Daher wurden ihr als weitere Bauglieder eine Sporthalle für schulische und öffentliche Nutzung und ein Volksheim zugeordnet. Die Schule wurde aus einem pädagogischen Konzept entwickelt, das größtmögliche Offenheit zueinander bei gleichzeitiger Geborgenheit in einer Klasseneinheit ausdrückt. Die Klassen in Achteckform mit Garderobe und Gruppenraum sind über die Öffnung einer Glas-Faltwand mit der zentralen Halle verbunden. Diese Halle zieht sich in spiraliger Form durch das ganze Gebäude, wobei die Klassen jeweils auf unterschiedliche Niveaus zu liegen kommen. Die Halle hat die Treppe integriert und wird von oben und seitlich natürlich belichtet. Der Eingang in die Schule erfolgt von einem Sockelgeschoß aus, das technische Räume, die Hausmeister-Wohnung und die Umkleiden der Sporthalle enthält. Die Sporthalle mit Tribünen und getrenntem Eingang ist für das Schulturnen unterteilbar, wobei direkte Zugänge von der Schule gegeben sind. Konstruktiv gesehen ist die Schulanlage ein Stahlbeton-Skelettbau, bei dem Sichtbeton verwendet wurde.

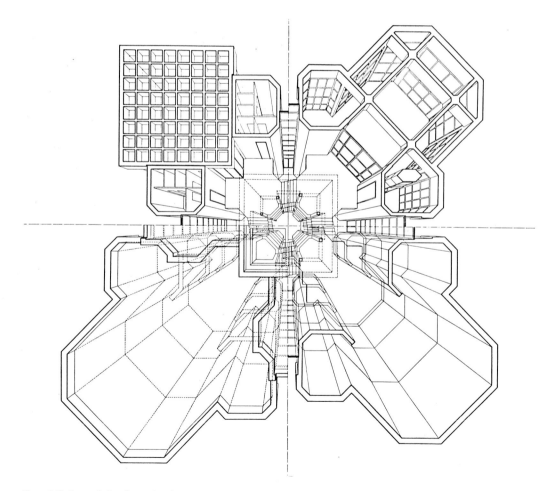

Grundriß-Perspektive (von oben)

Grundriß-Perspektive Gesamtanlage

Zentrales Stiegenhaus

HERMANN CZECH
Kleines Café, Wien
1974

Das ursprünglich (1970) als Stehkaffeehaus konzipierte »Kleine Café« auf dem Franziskanerplatz in der Wiener Innenstadt wurde durch einen höherliegenden Raum mit eigenem Eingang erweitert. Polstersitze, Marmor, Spiegel schaffen eine Atmosphäre »erster Klasse«. Fast alle visuelle Information ist auf den Bereich unterhalb der Augenhöhe konzentriert, um die Gäste in diesem Teil des Lokals zum Niedersetzen zu veranlassen. Einige der Materialien führen durch ihr Alter oder ihre »gebrauchte« Verwendung eine Zeitdimension ein. Die Wirkung der Formen beruht nicht auf Neuartigkeiten, sondern auf ihrem Zitatcharakter. Die Formenwelt zugbeanspruchter Konstruktionen ist spielerisch verwendet; das vollständige System von »Pfeilern« und »Seilen« entsteht jedoch erst durch die Spiegelung.

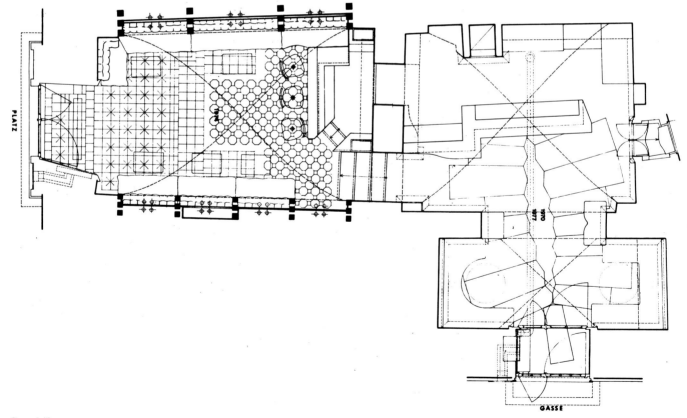

Grundriß

88

Innenraum

Eingangstür

HANS HOLLEIN
Juwelierladen Schullin, Wien
1974

Das gestalterische Konzept des Geschäftslokals Schullin am Graben steht in engem Zusammenhang mit seiner Funktion und Dimension. Der sehr geringe Fassadenbereich und die kleine Bodenfläche (ca. 13,5 m²) machten einen effektiven ökonomischen Einsatz der Mittel zur Voraussetzung, erlaubten auf der anderen Seite jedoch hohe Qualität in Material und Detail. Es erfolgte ein »strategischer« Einsatz der Mittel, das heißt kostenaufwendigere Teile wechseln mit einfachen ab. Die verwendeten Materialien sind außen schwarzbrauner Granit, getöntes Messing und rostfreier Stahl, im Inneren brauner Samt, Leder und Kirschholz. Spiegel wurden raumerweiternd und raumillusionär eingesetzt, die Gesamtbreite des Inneren beträgt 1,96 m. Großes Augenmerk wurde auf die Außen-, Schaufenster- und Innenbeleuchtung gelegt, wobei einer Vielzahl punktförmiger Lichtquellen – wegen der Reflexe auf den Juwelen – der Vorzug gegeben wurde. Dieser Bezug der Umgebung der Materialien zum Produkt in optischen und haptischen Bereichen ist vielfach gegeben.

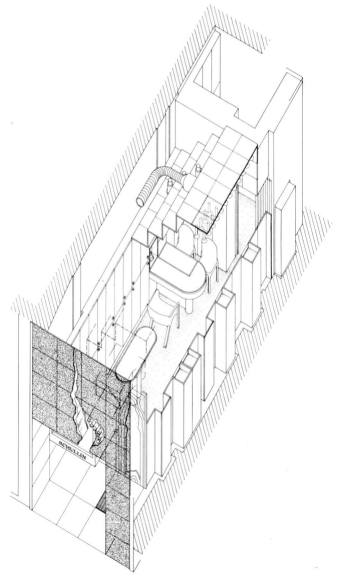

Axonometrische Darstellung

90

Außenansicht

ROLAND RAINER
Stadthallenbad, Wien
1974

Das verhältnismäßig große Raumprogramm konnte auf dem begrenzten Bauplatz Ecke Hütteldorfer Straße und Vogelweidplatz in einer mehrgeschossigen Anlage als Erweiterungsbau der Wiener Stadthalle untergebracht werden, die im Untergeschoß Garderoben, im Erdgeschoß ein 10 x 50 m großes Trainingsbekken sowie zwei Saunaanlagen und ein Saunarestaurant enthält. Im 1. Obergeschoß liegt die Haupthalle mit ihrem 25 x 50 m großen Schwimm- und Sprungbecken mit Sprungtürmen bis zu 10 m und einem Lehrschwimmbecken, Tribünen für 800 Zuschauer, einem Restaurant und der vorgelagerten Sonnenterrasse auf dem Dach der Bowlinghalle, von der aus man die große baumbestandene Wiese vor der Stadthalle erreicht, so daß das Stadthallenbad in diesem dicht verbauten Bezirk gleichzeitig als Sommerbad dienen kann. Im Interesse bester Belichtung und Besonnung und eines freien, großzügigen Raumeindrucks wurde die Halle an drei Seiten verglast, so daß man in die Baumkronen der angrenzenden Straßen und Grünflächen blickt, der obere Teil der Längsfassaden mit diffusem Glas, um das Licht gleichmäßig zu streuen und um harte Spiegelungen und Schlagschatten zu vermeiden. Das Dach ist den Sichtlinien von den Tribünen zu den Sprungtürmen angepaßt und steigt daher von der niedrigen Nordseite fächerförmig nach Süden an, wobei die verschiedenen schrägen Flächen des Daches, ebenso wie die geknickte Fensterfront, der Streuung des Schalls dienen. Im Interesse einer transparenten Raumwirkung wurde die Halle mit einem Stahltragwerk überdeckt und die dreifach verglasten Fenster in dünne Stahlsprossen gesetzt. Die für die Funktion entscheidenden klimatischen Einrichtungen sind als wesentliches Architekturelement durchwegs offen gezeigt, ebenso die elektrischen Leitungselemente, um Verständlichkeit und Ausdruckskraft des Bauwerks zu steigern.

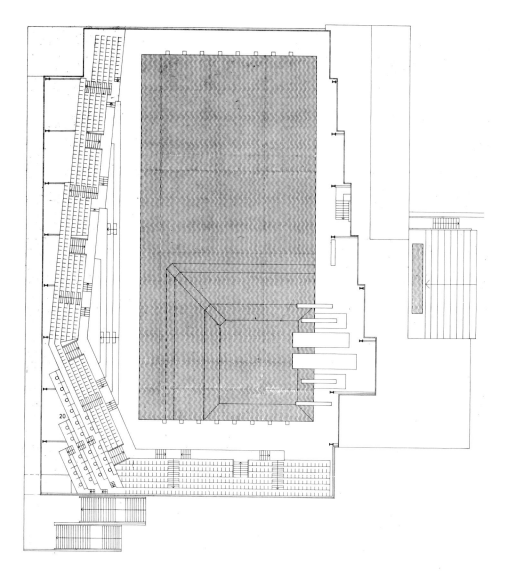

Grundriß

Außenansicht

Tribünengang

Innenräume

KARL SCHWANZER
Österreichische Botschaft Brasilia
1974

Der Neubau der Österreichischen Botschaft in Brasilia nimmt die Botschaftsräumlichkeiten auf und dient dem Botschafter als Residenz. In seiner äußeren Erscheinung ist der Neubau seiner Bestimmung nach als ausgeprägter Repräsentationsbau eines kleinen Landes mit hohem kulturellen Erbe gestaltet. Im Inneren wird mit zurückhaltender Noblesse die intime Atmosphäre österreichischer Gastlichkeit ausgedrückt. Der offizielle Charakter dieses Bauwerkes wird durch das symmetrische Konzept der Gesamtanlage, die sich, vom Botschaftsgebäude ausgehend, über die Gartenanlage bis zu den beiden am Rande des Grundstücks rechts und links situierten Personalwohnhäusern durchzieht, betont. Ein niedriger Wassergraben begrenzt das Grundstück an Stelle einer hohen Abschirmung durch Pflanzen oder durch einen Zaun.

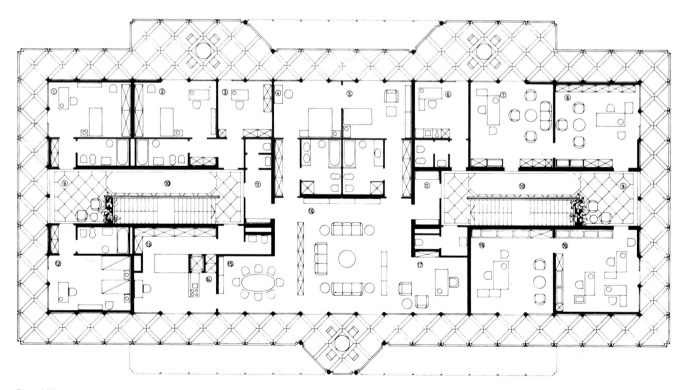

Grundriß

94

Ansicht

Innenraum

JOHANN GEORG GSTEU
Wohnbau Aderklaaerstraße, Wien
1978

Durch die West-Ost-Orientierung der Baukörper in der Herbert-Boeckl-Gasse in Wien ist eine gleichwertige Orientierung der Wohnungen auf beiden Seiten gegeben. Die Schrägstellung der einzelnen Baukörper ergibt eine Zuordnung der Balkon-Loggienbereiche zur Süd-Orientierung, für die Höhenentwicklung der Baukörper wurde eine wechselweise Abstufung, 4 und 5 Geschosse, gewählt. Der zweihüftige Mittelgang, alternierend mit einhüftiger Ganglage, bietet Gelegenheit zu Kontakten (Zusammenstehen und Zusammensetzen). Tageslicht erhält der zweihüftige Mittelgang über ein Oberlicht – durch Öffnungen in den Geschoßdecken und dort, wo der Gang einhüftig wird. Durch die tragenden Wohnungstrennwände und durch den mittig gelegten Unterzug, beidseits auskragend, sind alle Zwischenwände nichttragend und können variiert oder weggelassen werden. Die Möglichkeit der Integrierung der Küche in den Wohnteil und eine räumliche Gliederung durch den Unterzug sind gegeben, ebenso die Möglichkeit der Abtrennung der Küche vom Wohnteil durch transparente oder undurchsichtige Leichtwände beim Unterzug. Die Austauschbarkeit des Wohn- und Eßbereiches ist in beiden Fällen garantiert. Der Wohnungsgrundriß gewährleistet eine optimale Zuordnung und Nutzung des Balkon-Loggienbereiches.

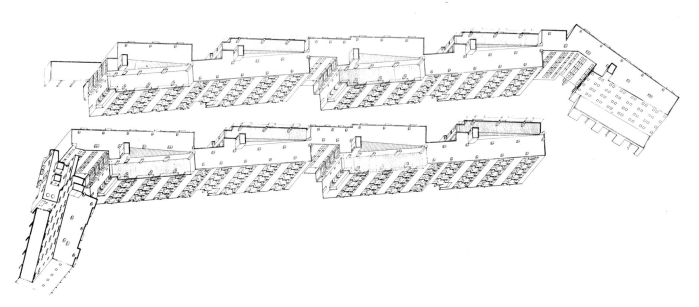

Axonometrische Darstellung

96

Eckansicht mit Kaffeehaus

Obergeschoß, Gang und Stiegenhaus

97

GÜNTHER NORER
Volksschule Vomp, Tirol
1975

Die Schule in Vomp in Tirol zeigt neue mögliche Formen des Zusammenlebens. Der nach außen und innen offene Bau ist damit Auftrag für die Lehrenden und Lernenden. Die Architektur ist hier konstruktiver Widerpart zur Landschaft. Die Landschaft wird nicht ausgesperrt, sondern ist ständig präsent. Die neuen Formen sind nicht willkürlich, sondern alle logisch beleg- und begründbar. Funktionalität bedeutet nicht nur Funktionalität des Raumes, sondern konstruktiven Einsatz für eine gestaltete Umwelt. Die Verpflichtung zur Tradition ist im Baudenken, in der Ehrlichkeit und in der Beachtung einer städtebaulich größeren Ordnung gesehen. Als Baumaterial wählte man Sichtbeton. Als Konstruktionssystem wurde eine Schottenbauweise in Sichtbeton ausgeführt. Die Abschlüsse der Betonschotten an der Fassade und in der Aula wurden auf die statisch notwendige Masse durch Schlitze und Kreise reduziert. Das Dach der Aula ist als Stahlkonstruktion zwischen die Betonschotten gehängt. Die Decken und Dächer wurden als kreuzweise bewehrte Platten in Sichtbeton ausgeführt. Die Turnhalle ist als Stahlkonstruktion, mit Trapezblech als Decke, auf die Betonsockel aufgeständert. Zur klaren Unterscheidung der am Bau verwendeten Materialien wurden alle konstruktiven Stahlteile rot, die Alufenster schwarz einbrennlackiert, und die Türen sind – nach Funktionsbereichen gegliedert – verschiedenfärbig gestrichen. Das selbe Prinzip, Farbe als Ordnungselement zu benützen, wurde auch bei den färbig gebeizten Klassenzimmer-Einrichtungen durchgehalten.

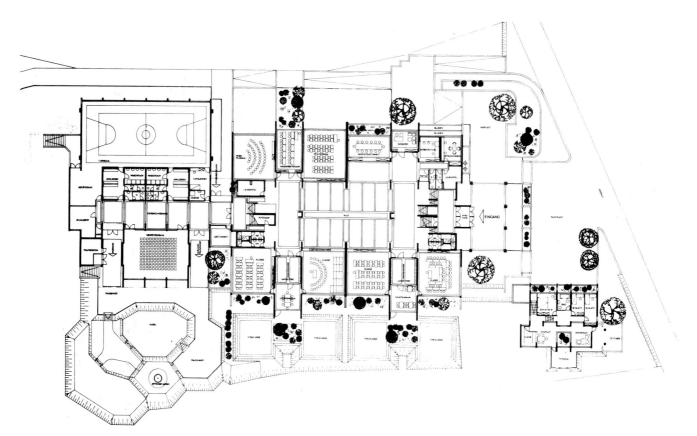

Grundriß

Seitenansicht mit Eingang

Zentrale Halle

99

FRANZ RIEPL, OTHMAR SACKMAUER
Pädagogische Akademie der Diözese Linz
1975

Die Pädagogische Akademie der Diözese in Linz ist eine der Ausbildungsstätten für Pflichtschullehrer. Behördliche Reglementierung, die Hanglage, der Wunsch nach kurzen Wegen und einem hohen Kommunikationswert der Erschließungszonen führte zur konzentrierten und terrassierten Anordnung der Baukörper. Zentrum der Anlage ist die großräumige Eingangshalle, die in Grundriß und Querschnitt in der Mitte liegt. Von

dieser Erschließungszone gelangt man unmittelbar zu den Haupträumen (Aula, Hörsäle, Kapelle, Konferenzsaal, Cafeteria) und über offene Treppenanlagen zu den übrigen Funktionsbereichen (Verwaltung, Seminarräume. Musischer Bereich mit Zeichen-, Werk- und Musikräumen). Die Kapelle und die Sportabteilung, die mit der Halle intern über die Cafeteria verbunden ist, haben von außen her auch selbständige Zugänge. Charakteristisch für den Bau sind die Anordnung und Gestaltung der Fensterflächen. Von der Seite, von oben oder aus beiden Richtungen werden die konzentriert gruppierten Raumfolgen sehr differenziert belichtet.

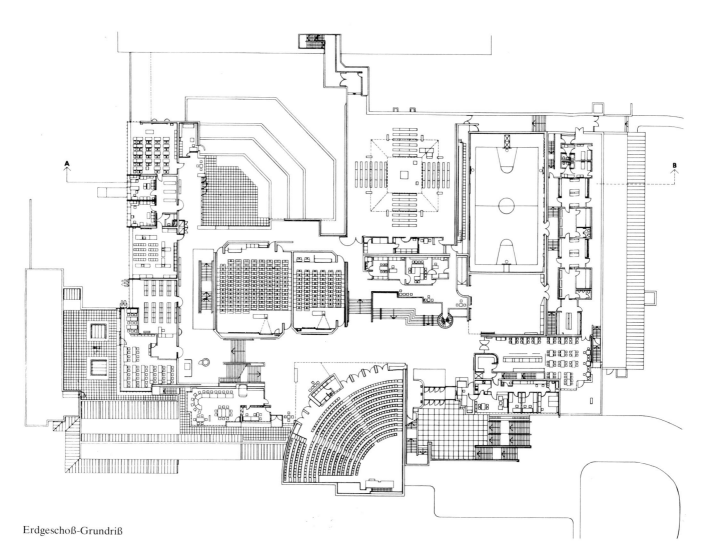

Erdgeschoß-Grundriß

Ansicht der Gesamtanlage

Innenraum Hörsaal

101

JOHANNES SPALT
Wohnhaus Wittmann, Etsdorf, Niederösterreich
1975

Dieses Wohnhaus für einen Möbelfabrikanten wurde am Ende einer Weinkellerstraße in Etsdorf, Niederösterreich gebaut. Wichtige Voraussetzungen für die Planung bildeten eine Geländestufe und die weite Rundsicht zu den verschiedenen umliegenden Dörfern. Das Haus besteht aus einem massiven Sockelgeschoß mit ein- und vorspringender Terrasse. Unter dieser befindet sich ein Schwimmbad. Auf dem massiven Untergeschoß sitzt ein herumlaufendes Fensterband, in dem sich die zarten kreuzförmigen Stützen (10 x 10 cm) verbergen, die das Dach, das aus

4 mm abgekanteten Blechsparren zusammengeschweißt ist, tragen. Die größte freie Spannweite des Daches beträgt 9 m. Alle paravantartigen Wände des Hauptgeschosses und die Deckenuntersicht sind mit Mahagonischiffssperrholz verkleidet. Der mit der vorspringenden Terrasse verbundene tiefere Teil des Wohnraumes hat einen offenen Kamin und ist mit Lederbänken ausgestattet. Dieser Teil ist mit einem höher liegenden Umgang, der eine Erweiterung für den Eßplatz hat, räumlich verbunden; dieser Umgang verbindet gleichzeitig die verschiedenen Räume. Alle Treppen sind halbgeschoßweise geführt. Das vorspringende Dach hat einen schirmartig nach unten geführten Vorsprung, der das Raumerlebnis im Haus wirksam macht und das Gefühl des »Innenseins« verstärkt.

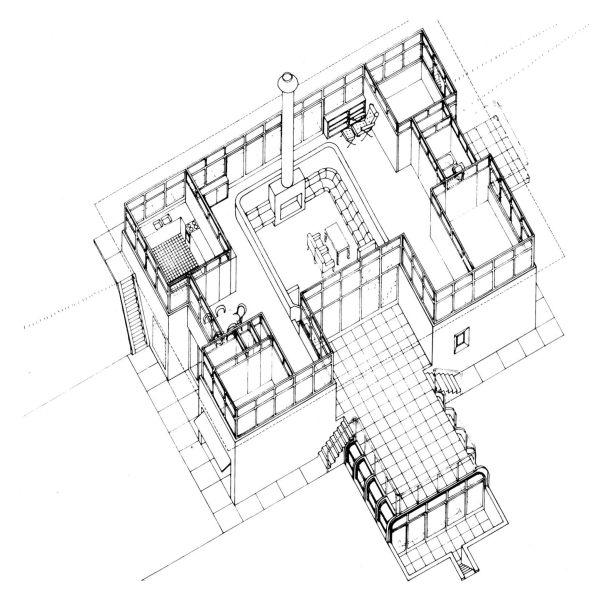

Axonometrische Darstellung

102

Gartenansicht mit Terrasse

Wohnraum

WILHELM HOLZBAUER
Haus Stifter, Ottensheim, Oberösterreich
1976

Hier handelt es sich um ein kleines Haus für einen Maler und
Graphiker in Ottensheim bei Linz (Länge 34 m, Breite 5 m).
Zwei senkrecht zum Geländehang stehende Mauern beginnen an
der oberen Seite im Geländeniveau und erreichen an der unteren
Seite die vollen zwei Geschosse. Bis auf Küche und Nebenräume
gehen alle Räume offen und terrassenförmig ineinander über:
Wohnraum, Eßraum, Wohnatelier, Atelier und Galerie. Die
dreieckigen, in Holz konstruierten, horizontal aus der Mauer
herausragenden Bauteile nehmen die Zugänge zum Haus auf und
bieten von den einzelnen Räumen Aussicht entlang dem an dieser
Stelle sichtbaren bogenförmigen Lauf der Donau. Ein weiteres
vertikal aufgesetztes Dreieck schließt das Haus im oberen Bereich mit einer Glaswand ab und gibt dem Atelier von Norden
einfallendes Licht. Das Haus ist mit einfachsten Mitteln hergestellt, die hauptsächlichen Materialien sind verputzte Mauern
und Holz.

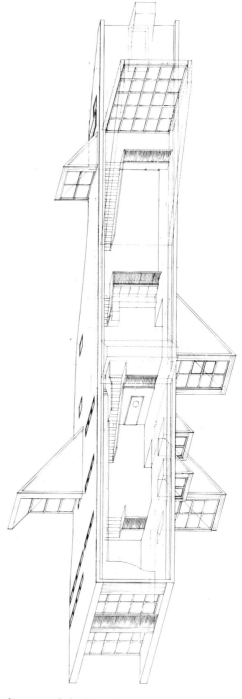

Axonometrische Darstellung

104

Seitenansicht

Blick vom Garten

WILHELM HOLZBAUER
Bildungshaus St. Virgil, Salzburg
1976

Das Bildungshaus ist ein Gebäude zur christlichen Erwachsenenbildung mit einer Vielzahl von Funktionen – eine Mischung und Überlagerung von Forum und Kolleg, Hotel und Erholungsheim, Schule und Seminar – ein Tagungs- und Kongreßzentrum. Das Bildungshaus bietet 80 Personen Wohnmöglichkeit, etwa 20 Betten sind in Zweibettzimmern untergebracht, die so kombiniert werden können, daß jeweils ein weiteres Zimmer angeschlossen werden kann (Familie mit Kindern). Weiters enthält der Bau Studien-, Lehr-, Aufenthalts- und Eßräume für 120–150 Personen. Ein eigener Kindergarten ermöglicht es den an den Kursen teilnehmenden Eltern, ihre Kinder unter Aufsicht zu stellen. Ein eigenes Personalwohnhaus bietet Platz für 2 Familien und 8 Einzelpersonen. Eine große Eingangshalle mündet in zwei getrennte Hallenbereiche, welche die Verbindungen zwischen Wohn-, Lehr- und Aufenthaltsräumen von zwei getrennten Gruppen herstellen. Der mittlere Bereich ist den Räumen mit gemeinsamen Funktionen vorbehalten. Ein darüberliegendes Terrassengeschoß dient der Kommunikation im Freien. Dieser »Agora« kommt im Baukonzept besondere Bedeutung zu. Es ist ein urbaner Raum innerhalb des Gebäudes, das in einem parkartigen Gelände liegt. Durchblicke von der »Agora« stellen einen visuellen Bezug zur umgebenden Natur her. Die Funktionen der darunterliegenden Räume spiegeln sich in der Dachlandschaft wider (großes Auditorium, Seminarräume etc.). Dieser Freiraum wird von zwei dreigeschossigen Trakten mit Einzelwohnungen, dem Speisesaal und zwei zylindrischen Räumen umgeben. Die zylindrischen Räume (Kapelle, Meditationsraum) geben das räumliche Thema an; ihre Größe wird erst durch die Ausschnitte bestimmt. Die Konfiguration der Ausschnitte umschließt den Eingangsbereich.

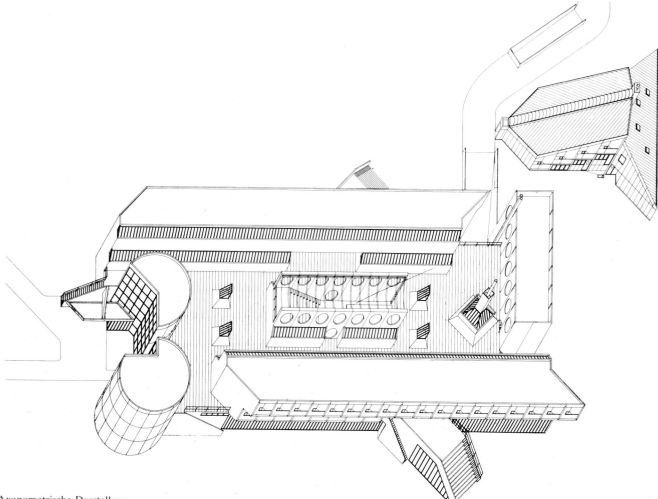

Axonometrische Darstellung

106

Seitenansicht

Vorderansicht mit Haupteingang

Gartenansicht mit Mensa

Gartenansicht mit Personalwohnhaus

108

Aufgang in das Obergeschoß

FRITZ WOTRUBA / FRITZ G. MAYR
Kirche »Zur Heiligsten Dreifaltigkeit«, Wien-Mauer
1976

Die Kirche am Maurerberg in Wien ist die gebaute Umsetzung eines Gipsmodells des Bildhauers Fritz Wotruba. Die im Innen- und Außenraum ablesbaren Konstruktionsteile sind reine glatte Betonkuben, die Zwischenräume Glasflächen. Das Erscheinungsbild trägt deutlich die Züge der Bildhauerarbeit Fritz Wotrubas. Die planerische Fixierung der Verglasung wurde nach Fertigstellung der einzelnen Betonblockgruppen bestimmt und teilweise direkt auf der Baustelle festgelegt. Das Untergeschoß erhielt eine gesondert zugängliche Unterkirche, die zu einem kleinen Seelsorgezentrum mit Pfarrsaal erweitert wurde.

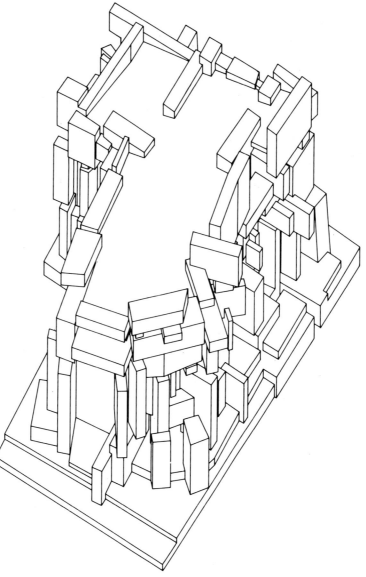

Axonometrische Darstellung

Ansicht mit Eingang in die Unterkirche

Außenansicht

Innenräume mit Altar

HORST HERBERT PARSON
Auferstehungskirche Neu-Rum, Tirol
1976

Am Rande von Hochhäusern in Neu-Rum bei Innsbruck ent-
stand ein niederes Pfarrzentrum mit Kirche, Jugendheim und
Pfarrhaus. Drei Baukörper und Umgänge umschließen einen
Vorplatz. Es bildet sich ein Treffpunkt für die Gemeinde, in dem
verschiedenste Aktivitäten im Freien stattfinden. Ein Weg wird
vorgezeichnet: Von der Straße über eine Wiese und Stufen in den
Vorplatz, weiter über einen betonten Schwellenbereich in den
hellen Kirchenraum zum Ziel – dem Tabernakel: ein Weg mit
Engen und Weiten – ein Weg auch als Symbol der Polarität
Mensch – Gott. Vorwiegend periphere Lichtführung betont das
gefaltete Mauerwerk des Kirchenraumes – ein schützendes
Gefäß für die Gläubigen. Der zentrale Altar entspricht den Intentionen des II. Vatikanums. Bezeichnend sind die Anwendung
herkömmlicher Baumethoden und die Einschränkung auf wenige
Materialien und Farben mit Betonung des Details.

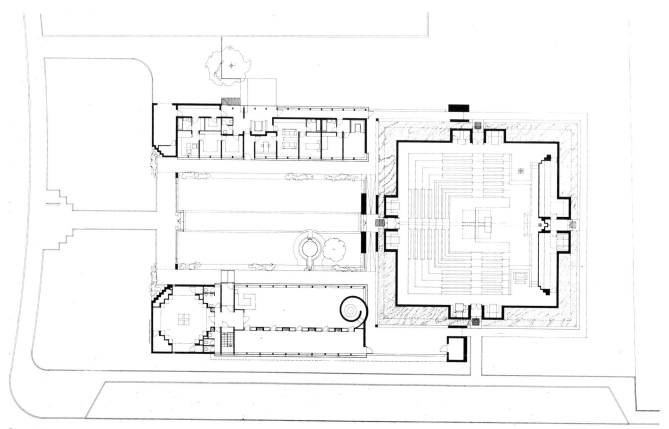

Grundriß

Haupteingang

Kircheninnenraum

HANS PUCHHAMMER / GUNTHER WAWRIK
Landesmuseum Eisenstadt, Burgenland
1976

Das Museum, 1926 gegründet, wurde 1939 am heutigen Standort untergebracht. Die Unterbringung in den fünf aneinandergebauten Häusern war als ein Provisorium gedacht. Die räumlichen Unzulänglichkeiten, der schlechte Bauzustand und die fehlende technische Ausstattung erzwangen jedoch schon bald Überlegungen für eine endgültige Lösung. Eine Untersuchung ergab, daß es sinnvoll wäre, drei der Häuser, die dem Typus des Eisenstädter Bürgerhauses angehören und somit als museale Objekte zu bezeichnen sind, zu erhalten und in die Neuplanung einzube-

ziehen und die zwei übrigen Häuser, da ohne historischen Wert und in äußerst schlechtem Zustand, abzubrechen und in einem Neubau den fehlenden Großraum und die Büro-Laborgruppe zu schaffen. Der Besuchereingang führt durch die ehemalige Hauseinfahrt zu dem mit einem Acrylglasdach gedeckten Innenhof. Dieser Hof ist zentraler Verkehrsknotenpunkt und bietet auch für Vorträge, Filmvorführungen, Ausstellungen und musikalische Veranstaltungen 170 Personen Platz. Der zweigeschossige Schauraum im Neubereich, der einen Teil der Dauerausstellung des Museums faßt, ist so konzipiert, daß der größtmögliche Grad an Freiheit in der Nutzung für Sonderausstellungen und andere Veranstaltungen bis zu einem Fassungsraum von 300 Sitzplätzen gegeben ist. Die übrigen Räume wurden durch Brücken, Treppen und Durchbrüche zu einem Raumkontinuum zusammengefaßt.

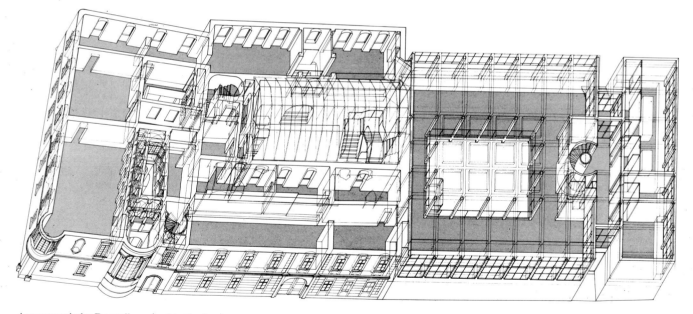

Axonometrische Darstellung (rechts Neubau)

116

Überdeckter Innenhof mit Stiegenaufgang

Überdeckter Innenhof

ROLAND RAINER
ORF-Zentrum, Wien
1976

In dem 1960 bis 1961 geplanten Zentrum des Österreichischen Rundfunks in Wien-Hietzing, Küniglberg, sind alle Einrichtungen des Fernsehens zusammengefaßt: Die Disposition des Komplexes wird durch einen komplizierten und empfindlichen Betrieb bestimmt, wobei die Notwendigkeit kurzer Leitungen und Wege zu einer flächenhaften Anordnung der Produktionsbereiche geführt hat, die teppichartig im Eingangsgeschoß und im 1. Obergeschoß zusammengefaßt sind. Dabei geben die nach außen völlig geschlossenen Baukörper der Studios dem Gebäude seinen besonderen Charakter. Die hervorragende landschaftliche Lage mit weiter Fernsicht wurde genutzt, um auch technische

Räume immer wieder mit Außenräumen zu verbinden und um für die Benützer Ausblicke in einen weiten Landschaftsraum bzw. auf die Stadt freizugeben. Die Hauptfront des als Dreitrakter organisierten Verwaltungsgebäudes mit den verschiedenen Direktionen öffnet sich zu einem Vorplatz mit weiter Aussicht in den südlichen Wienerwald und einem großen Reflexionsbecken. Ein Volumen von rund 500.000 m³ umbauten Raums wurde zur Entwicklung einer konsequenten Vorfabrikation genutzt, wobei 15 m lange und 1,50 m hohe Stahlbeton-Parapett-Träger mit einer den statischen Beanspruchungen entsprechenden Profilierung die Fassaden bestimmen. Da die technischen Einrichtungen aller Art frei sichtbar geführt werden, um den von einer besonders hoch entwickelten Technik bestimmten Charakter des Gebäudes zum Ausdruck zu bringen, ist eine spannungsvolle Konfrontation von Technik und Landschaft entstanden.

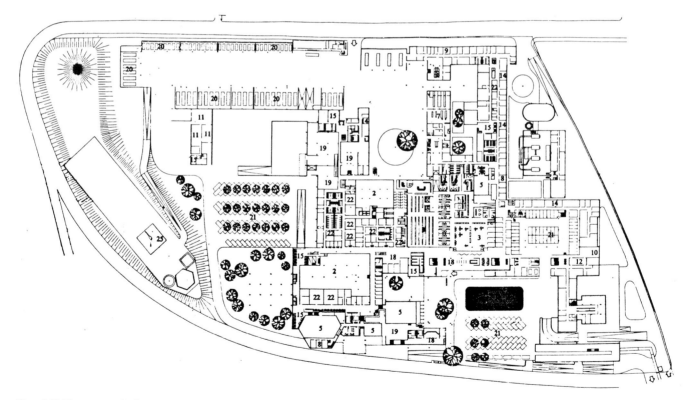

Grundriß Eingangsgeschoß

118

Blick zum Haupteingang

Großes Studio

Eckdetail

Energiezentrale

Blick zum Bürotrakt mit Energiezentrale

Studiodetail außen

ROLAND RAINER
Römisch-Katholisches Seelsorgezentrum Puchenau, Oberösterreich
1976

Das katholische Seelsorgezentrum, mit Kirchenraum für 300 Personen, Werktagskapelle, Taufkapelle, Jugendräumen und Kindergarten, liegt am Eingang zur Gartenstadt Puchenau. Der Vorplatz der Seelsorgeanlage ist durch Mauern von der Verkehrsstraße geschützt und durch ein Reflexionsbecken von der Kirche getrennt. Hauptkirchenraum, Werktagskapelle und Taufkapelle bilden drei aneinander stoßende Oktogone, deren Mittelpunkte – Taufstein bzw. Altäre – durch hohe, mittlere Tamboure gezieltes Tageslicht erhalten, während der übrige Teil des Raumes im Halbdunkel liegt. Im Gegensatz zu diesen betont

introvertierten Räumen öffnen sich Jugendräume und Kindergarten mit großen, um die Ecken geführten Fensterwänden zu Außenräumen differenzierten Charakters. Dieser Kontrast zwischen den »weltoffenen« und den »introvertierten« Räumen steigert die Wirkung beider. Die ganze Anlage ist aus historischen, aus dem Abbruch alter Mietskasernen gewonnener, Ziegel errichtet, die durchwegs unverputzt geblieben sind. Sämtliche Räume sind mit schwarz gebeizten Holzbalkendecken überspannt, nur die als Zeichen wirkenden Tamboure bestehen aus Aluminium. Insgesamt sollte durch die lapidare, regelmäßige, dem Kreis verwandte Form des Oktogons und durch zeitlose, natürliche Baustoffe in handwerklicher Bearbeitung Wert und Bedeutung von Räumen betont werden, deren Kriterien nicht rationaler Art sind. Auf eine für Kirchenmusik geeignete Akustik wurde besonderes Gewicht gelegt.

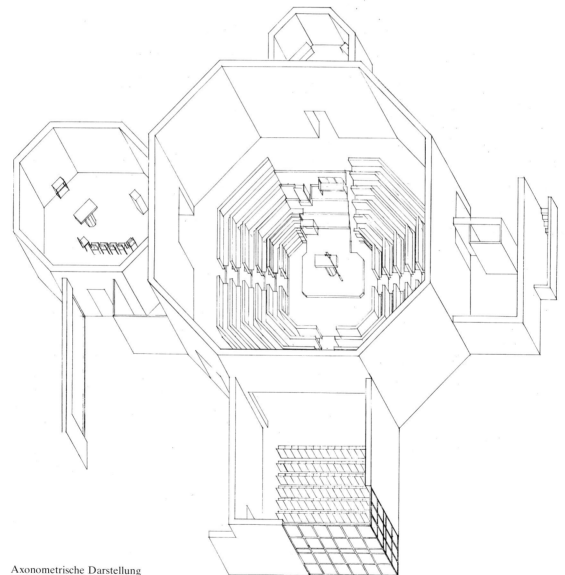

Axonometrische Darstellung

122

Gesamtanlage

Kircheninnenraum

123

FRANZ RIEPL
Haus A.R., Gallneukirchen, Oberösterreich
1977

Grundlegend hat den Entwurf die Forderung nach einer Garage bestimmt, die in der Art einer traditionellen Hofzufahrt gelöst wurde. Ihre mittige Lage ermöglicht getrennte Zugänge zu einer selbständigen Büroeinheit im Erdgeschoß und zum Treppenhaus für die Wohnungen in den Stockwerken. Wegen der geringen Straßenbreite mußte die Einfahrt an der Straßenfront einseitig erweitert werden. Die hauptsächlich genutzten Wohnräume sind zum ruhigen Hof hin orientiert, der gegen die Nachbarn zu mit einem zweigeschossigen Umgang geschlossen ist. An der Nordwestseite, wo das Nachbargrundstück nicht bebaut ist, hat man die Grenzmauer teilweise durch eine Glaswand ersetzt. Die typische Gliederung der benachbarten Fassaden, die Reihung schmaler Fenster, wurde übernommen. Die Außenwände sind gemauert, verputzt und gefärbelt. Die Decken, gleich starke Stahlbetonplatten, liegen nur auf den Grenzmauern und einer Stütze im Treppenausschnitt. Das hat die Teilung der Grundrisse vereinfacht.

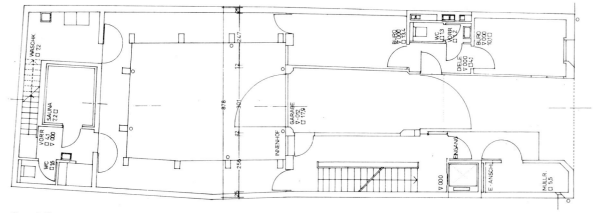

Grundriß

Straßenfassade

Fassadendetail

Innenhof mit Umgang

Umgang

125

HEINZ TESAR
Musikstudio Peer, Steinach, Tirol
1977

Grundgedanke für die Gestaltung des Anbaues für ein kleines
Musikstudio ist ein stark differenzierter, vielgestaltiger Innenraum, der durch spitz-, stumpf- und rechtwinkelige Raumecken
gebildet wird. Eine schräg hochgezogene Holzbalkendecke mit

verschiedenen Ebenen und die eindeutige Orientierung zum
Aussichtsfenster sind besondere Kennzeichen der Grundriß-
lösung. Bedingt durch die Hanglage entsteht ein Außenraum mit
der höchsten Wand des Hauses, formuliert mit dem Rundfenster,
dem Glasprisma und dem geschwungenen Aussichtsbalkon parallel zur Hangkante. Das kleine Studio wurde mit einheitlich
durchgehenden Materialien – Putz, Farbanstrich und Glas –
gestaltet.

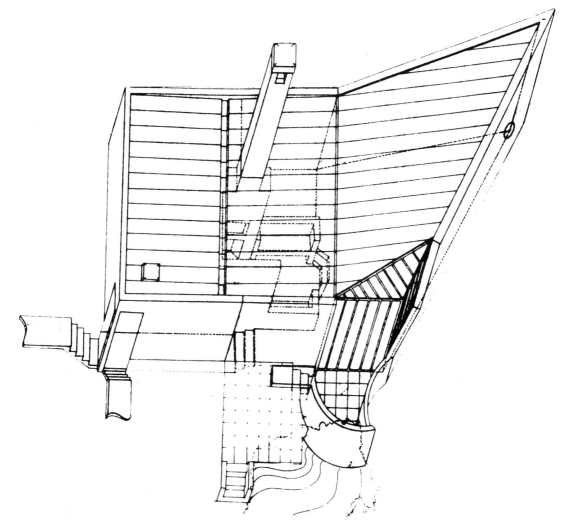

Axonometrische Darstellung

126

Innenraum

WERNER W. APPELT, EBERHARD KNEISSL, RENATE
ELSA PROCHAZKA

Kirchliche Mehrzweckhalle
Wien, Rennbahnweg
1977

Die Halle am Rennbahnweg in Wien ist der Prototyp einer Serie von drei gleichartigen Bauten, denen Charakteristik des Standortes und der Nutzung gemeinsam ist: sie sind großen Wohnhausanlagen der Gemeinde Wien zugeordnet und sollen in den Bezirken jenseits der Donau dem infrastrukturellen Mangel durch die Möglichkeit der Mehrfachnutzung entgegnen. Die Absicht war, mit einfachen Mitteln einen möglichst vielseitig adaptierbaren Raum zu errichten, der in seiner Alltäglichkeit als Gebrauchsarchitektur und nicht als Repräsentationsarchitektur funktionieren sollte. Das architektonische Konzept faßt die Montage der industriellen Produktionen (Wandfertigteil, Garagenfalttor, Trapezblechdach) unter einem Bautypus zusammen, der einerseits durch Baukörper und Bogendetail, die Assoziation zu Halle, Pavillon, zum öffentlichem Bau schlechthin, andererseits durch die Maßstabwahl und die Materialien der Innenräume jene zum privaten Wohnen herstellen soll. 1980 wurde die Halle durch zwei Längstrakte für ein Pfarrhaus und ein Schwesternwohnhaus erweitert.

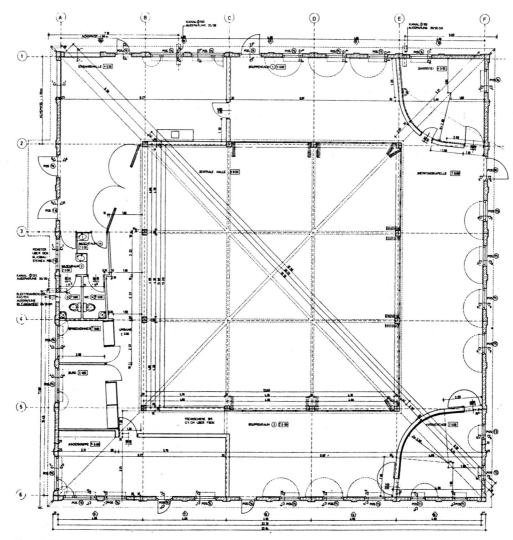

Grundriß

Gesamtansicht

Fassadendetail

129

HANS HOLLEIN
Österreichisches Verkehrsbüro, Wien
1978

. Für das Österreichische Verkehrsbüro am Wiener Opernring wurde ein Konzept entwickelt, das für den Kundenraum primär eine große, verhältnismäßig neutrale Halle vorsieht, die auf der einen Seite des architektonisch-räumlichen Konzepts zusätzlich durch die Einführung von austauschbaren einfachen Elementen unterstützt wurde (Oberlichttonne, Säulenstellung aus echten und falschen Säulen, Einzelpulte). In diesen Umraum wurden in bewußt komplexer Zuordnung metaphorische Elemente bzw. »Zitate« gestellt, die zum Teil völlig zweckfrei sind, zum Teil vom Programm her notwendige Funktionen einbinden. Beispiele solcher Elemente, die Assoziationen zu dem, was hier geboten wird, wecken, sind etwa die Palmen oder Elemente wie griechischer Säulenstumpf, Pyramide, orientalischer Ruhepavillon, Himmel, Adler, Flugzeugflügel oder Schiffsrailing. Organisatorisch ist das Verkehrsbüro auf einer Kundenzone, auf einer noch im unmittelbaren Kundenkontakt befindlichen Bearbeitungszone (Arbeitsplatz hinter den Pfeilern, Kulissen, etc.) und auf sogenannten Hinterländern aufgebaut, die den jeweiligen Hauptbereichen zugeordnet sind und vom Kunden nicht eingesehen werden können.

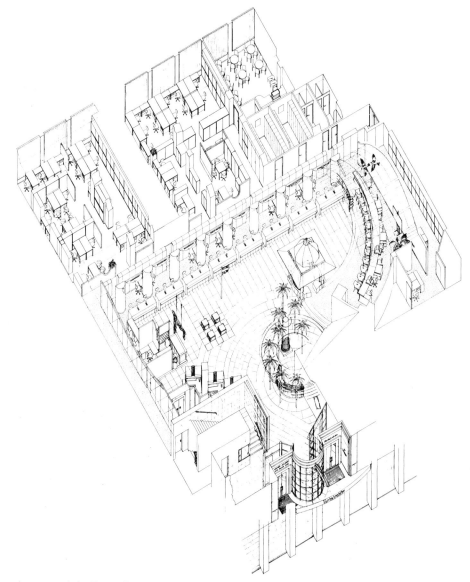

Axonometrische Darstellung

Eingang

Innenraum

Innenraumdetails

WILHELM HOLZBAUER
(mit Heinz Marschalek, Georg Ladstätter, Bert Gantar)
U-Bahn Wien, Gestaltung der Stationen
1978 –

Von den Architekten werden alle Stationen der Wiener U-Bahn-linien 1 und 4 (mit Ausnahme der Stationen Karlsplatz und Hütteldorf) bearbeitet, insgesamt 27. Das Gestaltungsprinzip ist für alle Stationen einheitlich, Unterschiede ergeben sich aus den jeweiligen örtlichen Gegebenheiten. Sowohl in den Passagen als auch in den Bahnsteigbereichen sind alle Einbauelemente wie Sitzbänke, Informationsvitrinen, Fahrkartenautomaten etc. ein Teil des Wandflächensystems. Die Paneele haben ungeachtet ihrer Funktion immer dieselben Abmessungen und sind daher jederzeit austauschbar. Die betonte Längsentwicklung der Bahnsteige wird durch die Anordnung von farbigen Fugen in gestalterischer Hinsicht genützt. Diese Fugen sind farblich Teil des Leitsystems; die herausragenden Teile der Informationsträger des Leitsystems sind so eingebaut, daß die Flächen mit den Informationsträgern direkt aus den Fugen heraus entwickelt werden. Ein weiteres wesentliches Gestaltungsthema, das in allen Bahnsteigtypen, bei Mittelbahnsteigen, Seitenbahnsteigen und Bahnsteigen in den Röhrenstationen durchgehalten wird, ist die völlige, optische Trennung des Bahnsteiges vom Gleisbereich. Durch den hohlkehlenartigen Abschluß der Decke gegen die Bahnsteigkante und die Anordnung des Leuchtenbandes an dieser Stelle erhält der Bahnsteigbereich einen deutlichen räumlichen Abschluß gegen den dunkel und rohbaumäßig belassenen Gleisbereich.

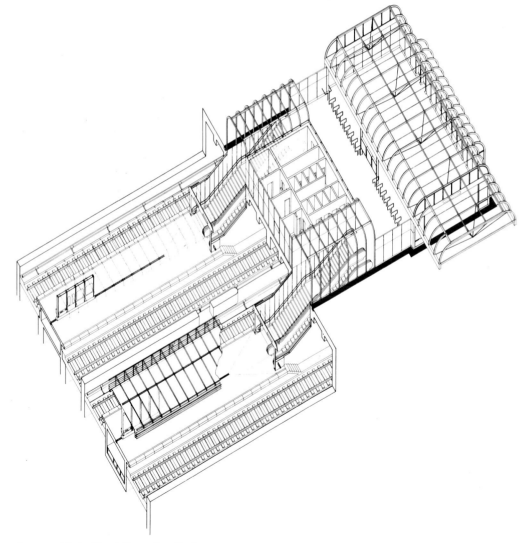

Axonometrische Darstellung einer Station

Station Stephansplatz

Passagierverbindungsgang

HERMANN CZECH
Zubau Villa Pflaum, Altenberg, Niederösterreich
1979

Der kleine Zubau an die alte schloßartige Villa, die von Ludwig Förster und Theophil Hansen etwa 1849 errichtet wurde, besteht aus zwei Baukörpern: einem niedrigeren, über Eck an den Altbau »angelehnten« und einem selbständigen kubischen. Der kubische Bauteil ist allerdings im Inneren durch eine Stütze abgefangen, so daß die räumliche Entwicklung im Erdgeschoß nur teilweise der äußeren Erscheinung entspricht. Die alte Außenwand wird zu einer Innenwand, die Ecke der Villa bleibt spürbar: hier ist der alte verwitterte Stein der Ecklisene freigelegt. Durch den Zubau wird der ursprünglich rund um den geschlossenen Block führende Fahrweg unterbrochen, es werden getrennte Zugangsbereiche für ein Kinderheim und ein Sommerhaus geschaffen. Für die Anfügung an das Schloß wird der Dachanschluß in Kämpferhöhe der Altbaufenster gewählt. Die Erhaltung der Belichtung ist dadurch gegeben, und die Fensterteilung des Altbaues bleibt von allen Seiten sichtbar.

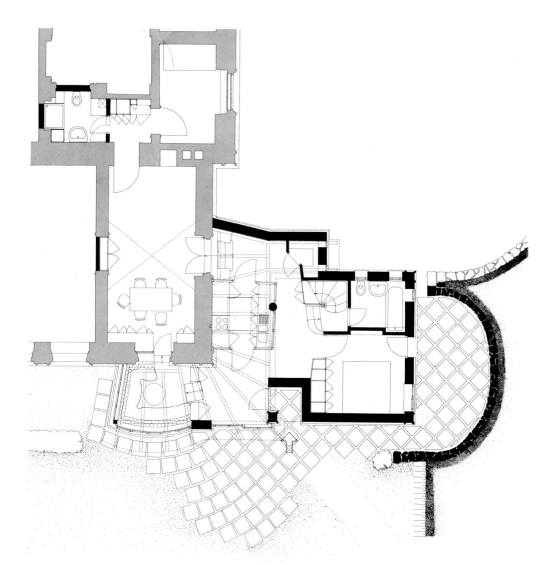

Grundriß

Ansicht von Süden (rechts Neubau)

Innenraum

Stiegendetail

GÜNTHER DOMENIG
Zentralsparkasse Favoritenstraße, Wien
1979

Die Zweigstelle eines Geldinstituts in Wien-Favoriten ist als Bezirkskulturzentrum geplant. Entscheidend für die Gestaltung waren die Lage in der Fußgängerzone und die Lebendigkeit des Ineinanderspielens verschiedener Kommunikationsebenen. Offene Eingangszonen, Ausbrechen aus der Bauflucht und bewußt extreme visuelle Beziehung zu den Nachbarbauten. Die Herstellungsmöglichkeiten des Bauwerks und die Ausnützung der Technik (Betondurchformungen, konstruktive Darstellung von Stahl und Blech) des Entwurfs und der Gestaltung treten in den Vordergrund. Ohne Verkleidungen bleiben die Gestaltungselemente und technischen Konstruktionen sichtbar und ergeben eine komplexe Einheit des Erscheinungsbildes. Die Materialien des Bauwerks: Beton, Stahl und Glas werden bis zur Grenze ihrer Möglichkeit der Durchformung verwendet.

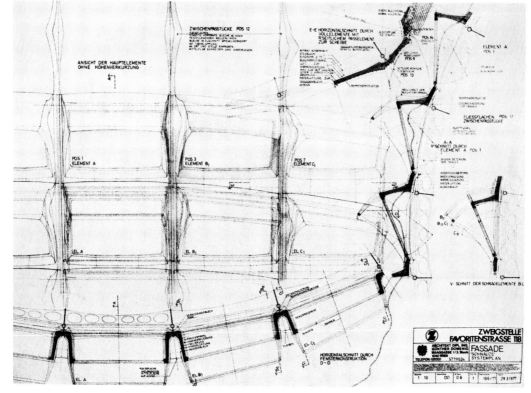

Detailzeichnung

138

Straßenfassade

Innenraumdetail

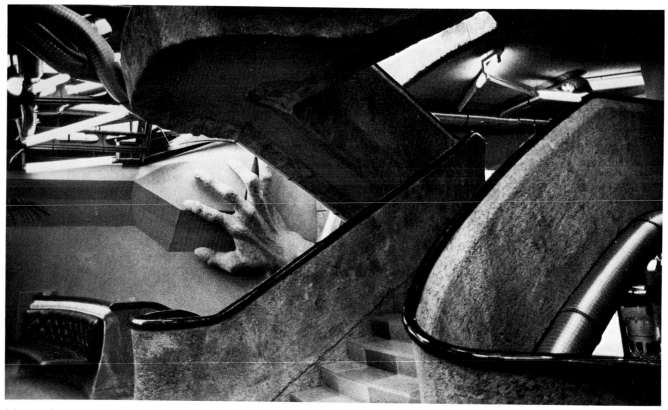

Stiegenaufgang

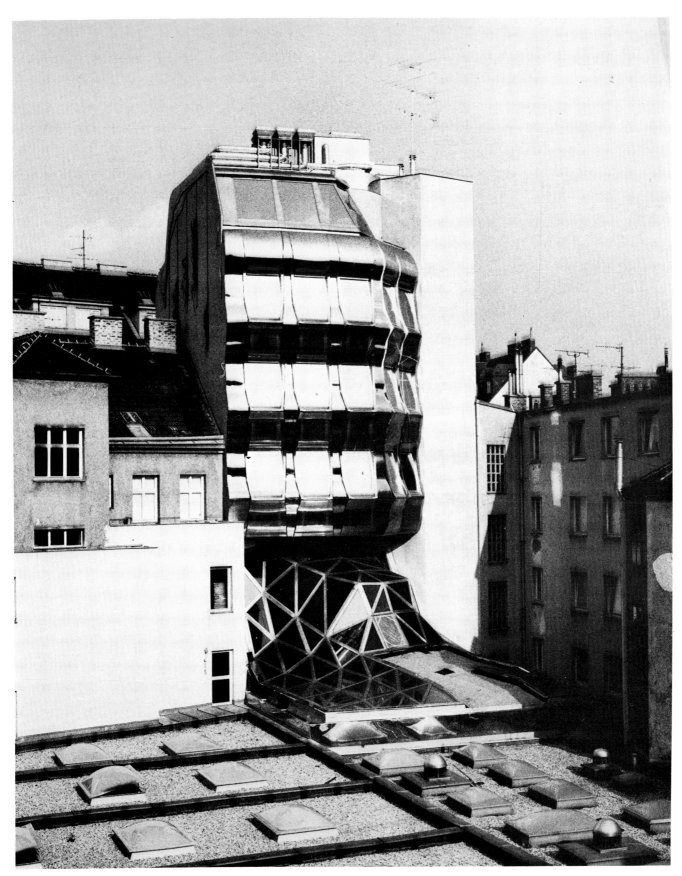

Hoffassade

WILHELM HOLZBAUER
Wohnanlage »Wohnen Morgen«, Wien
1979

Das Baugebiet liegt in einem Stadtbereich, der von der für das Ende des 19. Jahrhunderts typischen Bebauungsstruktur geprägt ist. Blockhafte Bebauung etwa der gleichen Höhe ist bestimmend für den Charakter dieses Gebietes. Die Stadterneuerung in diesem Bereich soll keine andere Charakteristik anstreben, es wird vielmehr die unleugbare Urbanität dieser Bebauungsstruktur neu interpretiert. Dies sowohl im Hinblick auf die Form der Gebäude als auch im Hinblick auf die Bedeutung der »Straße« als kommunikativem Element im Städtebau. Das bestimmende Thema der vorliegenden Bauten ist eine durch die Mitte des Planungsbereiches in nord-südlicher Richtung führende Fußgängerstraße. Als strukturelles System im Sinne der Stadterneuerung ist vorgese-

hen, urbane Straßen alternierend mit Grünräumen abzuwechseln. Im gegebenen Planungsbereich bedeutet dies die Aufeinanderfolge: Iheringstraße – Grünraum – zentrale Fußgängerzone – Grünraum – Anschützstraße. Die Baukörper, welche diese Freiräume einschließen, sind so angeordnet, daß die Hauptbereiche der Wohnungen den Grünbereichen zugeordnet sind, die Eingangszone und die Sekundärbereiche jedoch den Straßenräumen. Darüber hinaus sind die Außenflächen der Gebäude gegen die Grünräume terrassenförmig abgestuft, in den Straßen jedoch nach oben zu auskragend; dadurch werden Straßenbereiche geschaffen, die bei Witterungsunbilden einen gewissen Schutz bilden. Das Objekt umfaßt 292 Wohneinheiten in der Größe von 45 m² bis 130 m². Jede Wohnung hat eine Terrasse oder einen kleinen Garten, manche Wohnungen überdies eine verglaste Veranda. Es ergeben sich sowohl Wohnungen in einer Ebene als auch zweigeschossige Wohnungen und sogenannte Split-level-einheiten.

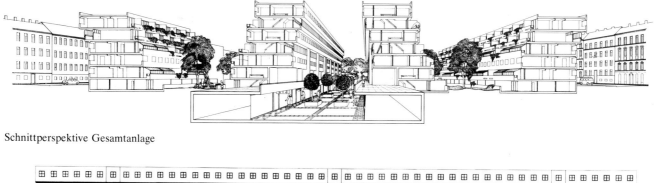

Schnittperspektive Gesamtanlage

Ansichtszeichnung

142

Fassade mit Wohnstraße

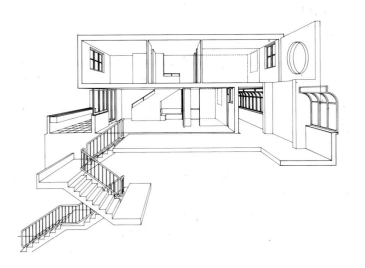

Schnittperspektive Maisonettewohnung

Stiegenabgang

143

JOSEF LACKNER
Wirtschaftskundliches Realgymnasium und Hauptschule für Mädchen, Innsbruck, Tirol
1979

Das wirtschaftskundliche Realgymnasium und die Hauptschule für Mädchen in Innsbruck umfassen ein Internat sowie 24 Stammklassen, 8 Sonderklassen, 2 Lehrküchen, eine Doppelturnhalle und Schwimmbad. Die Anlage ist vertikal geordnet, d.h. alle Studierräume sind im Obergeschoß, alle Sport- und Freizeitbereiche im Erdgeschoß bzw. Untergeschoß situiert. Eine Haupt- und vier Nebentreppen verbinden die beiden gegensätzlichen Bereiche und die dazwischenliegende Verwaltung sowie den Lehreraufenthalt miteinander. Die besondere Art der Konstruktion (geschoßhohe Stahlgitterträger) und das aufgezeigte Raumprinzip erlauben eine zweiseitige Lichtführung in die Klassen und die Tageslichtversorgung des Sport- und Spielbereiches. Bedingt durch die erwähnte Konstruktion ist diese Zone ein übersichtlicher Großraum mit vielen optischen Bezügen einschließlich der Öffnung ins Freie. Die einzelne Klasse ist als »Muldenraum« geformt, also die vertraute mauerumschlossene Klasse zugunsten einer zweiseitigen optischen Verbindung in die Nebenklassen und darüber hinaus angeboten. Das aufgezeigte Prinzip bestimmt zusammen mit der konstruktiven Entscheidung Raum und Form des ganzen Bauwerkes. Alle konstruktiven Stahlteile sind beidseitig mit dünnwandigen Betontafeln verkleidet. Die dadurch gebildete Zweischaligkeit der Wände löst die akustischen Probleme und gewährleistet den Feuerschutz. Die Böden bzw. Decken bestehen aus vorgespannten Spannbetondecken, die mit den vorgefertigten Brüstungsteilen für eine ausreichende Windversteifung sorgen. Alle vorgefertigten Betonflächen sind unverputzt bzw. im Fall der Brüstungen mit Teppich beklebt.

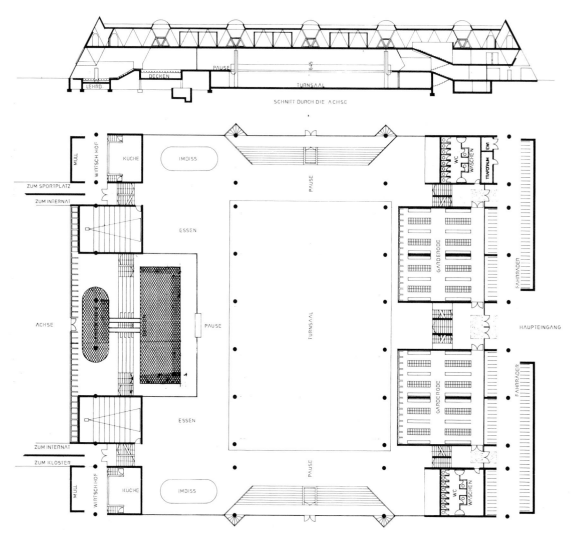

Schnittzeichnung und Grundriß

Gesamtansicht

Dachkonstruktion Detail

Auflager Detail

145

GUSTAV PEICHL
Erdefunkstelle Aflenz, Steiermark
1980

Die Erdefunkstelle Aflenz der Post- und Telegraphendirektion Steiermark der Österreichischen Postverwaltung liegt im Gemeindegebiet Graßnitz, nördlich des verbauten Ortes. Die Erdefunkstelle dient zur Nachrichtenübertragung mittels Satelliten im Fernmeldeverkehr. Die unterirdische Anlage besteht aus drei zusammenhängenden Abschnitten: dem Betriebshof mit Betriebs- und Büroräumen, dem Antennenhof mit der Antenne 1 und dem Wohntrakt. Aus Gründen der harmonischen Einord-

nung in die Landschaft wurde die hochtechnisierte Anlage mit dem 32 m Durchmesser großen Antennenspiegel als unterirdisches Bauwerk konzipiert. Das umfangreiche Raumprogramm mit den Arbeitsräumen und den technischen Räumen wurde so angeordnet, daß die Belichtung durch einen kreisrunden 30 m großen Hof erreicht wird. Die einzelnen Baukörper wurden so angeordnet, daß die technischen Räume hangseits, die Büro- und Diensträume talseits zu liegen kommen. Alle Bereiche sind muldenartig vertieft dem Hang angepaßt und erdeüberdeckt. Die Fassadenflächen öffnen sich zum Innenhof. An der Außenseite des Bauwerkes ist lediglich südseits eine dem Hangverlauf angepaßte Fensterfläche sichtbar.

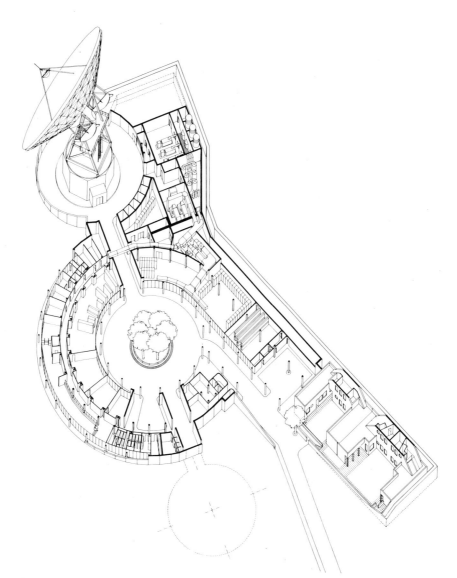

Axonometrische Darstellung

Ansicht mit Antenne von Süden

Ansicht mit Betriebshof und Antennenhof

147

HANS HOLLEIN
Museum Mönchengladbach, Nordrhein-Westfalen
1981

Bestimmend für die Gestaltung des Städtischen Museums Mönchengladbach waren einerseits jene Erfordernisse, die sich aus der musealen Konzeption ergaben, andererseits die Gesichtspunkte städtebaulicher Funktion und stadtbildmäßiger Eingliederung. Die städtebauliche Einfügung zeigt eine enge Anbindung an die etwas abseits vom urbanen Geschehen liegenden Bereiche des neu zu schaffenden Bildungszentrums (Museum, Bibliothek und Archiv, Musiksaal etc.). Eine fußläufig erschlossene Ebene erstreckt sich in Fortführung der Hauptaktivitätszone, die sich durch das ganze Bildungszentrum zieht und von der aus die Bauten nach oben und nach unten erschlossen sind. Die offene Zugänglichkeit und Erschließung der angrenzenden Nachbarbereiche sind durch terrassierte, begrünte Bauteile, die das Museum auf verschiedenen Geschoßebenen anbinden, gegeben. Die Integration des Bauwerks in die vorhandene Bebauungsstruktur – parallel zu den Höhenschichtenlinien laufende kleinmaßstäbige Wohnbauten einerseits und auf bestimmte Achsen orientierte prominente Einzelbauwerke wie Münster und Probstei andererseits – erfolgt so, daß die beiden angrenzenden Hauptbebauungsrichtungen ins Gebäude fortgesetzt wurden und ihre »Kollision« im Gebäude erfolgt, was zu komplexen Raumformen im Inneren führt. Neben zentral überblickbaren, fließenden Raumfolgen verschiedener Größe für eine vielschichtige Schaustellung, die Raumtypen von etwa 35 m² inkorporieren, bietet die Konzeption vor allem auch etwa 90 m² große, im »Kleeblattprinzip« angeordnete, separierte neutrale, fugenlos weiß geputzte Einzelräume mit Tages- und Kunstlicht. Das Äußere besteht aus komplexen, einander zugeordneten heterogenen Baukörpern von z.T. metaphorischem Charakter (Marmoreingangstempelchen) und in verschiedensten Materialien (gelber Sandstein, Zink, Alu).

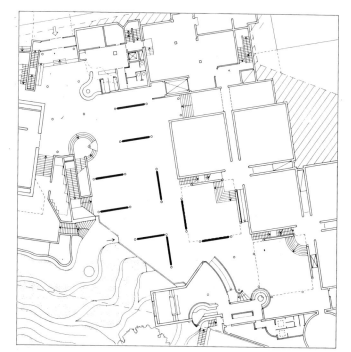

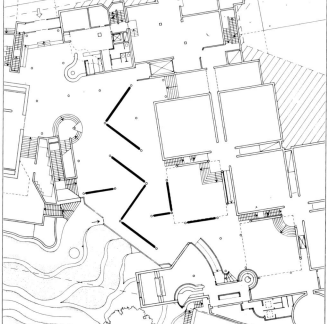

Grundriß

148

Modellfoto Blick vom Garten

Modellfoto Blick vom Dach über Cafeteria

149

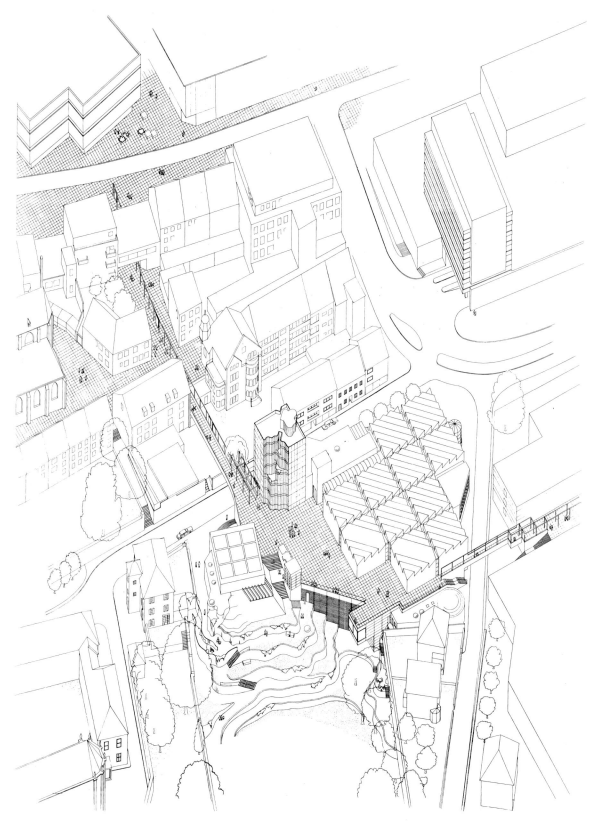

Axonometrische Darstellung

150

Modellfoto Innenraum

Modellfoto Innenraum

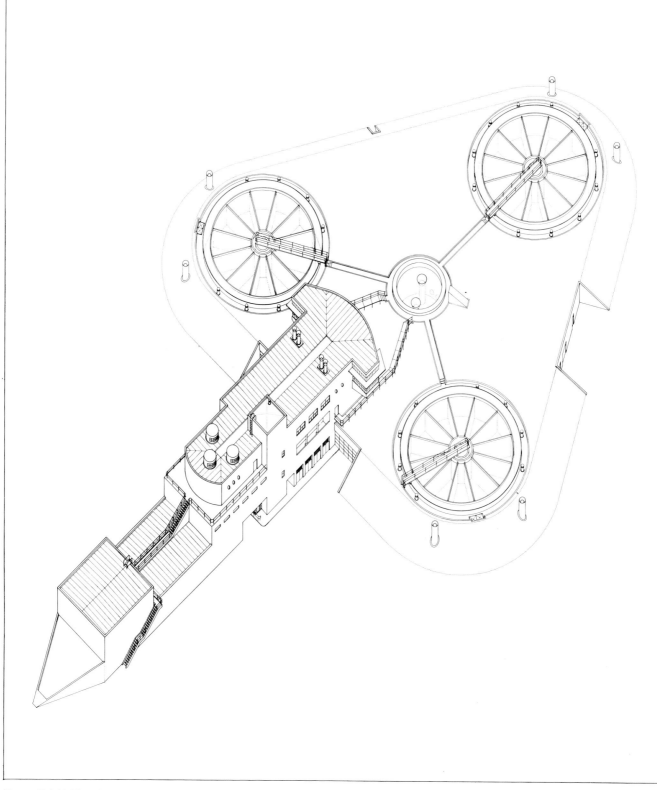

Gustav Peichl, Phosphateliminationsanlage Tegel IBA-Berlin, 1980

Gustav Peichl

ZEICHNUNGEN – PROJEKTE – UTOPIEN

Nulla dies sine linea!

Wir können annehmen, daß der Römer *Plinius* mit diesem Satz die Skizzen und Zeichnungen der Architektur gemeint hat.

Wenn man die Entwicklungsgeschichte der Architektur betrachtet, wird man feststellen, daß das Zeichnen seit jeher von großem Einfluß auf revolutionierende Entwicklungen war. Im 16. Jahrhundert war es mit »Erfinden« gleichgesetzt worden, mit dem Hervorbringen einer Idee, ja der Idee selbst oder der Form der Dinge. Zusammen mit dem althergebrachten Begriff der »Idee« ordnet man der Zeichnung – dem *Disegno* – eine doppelte Rolle zu und unterscheidet zwischen *Disegno interno* und *Disegno externo*. Die erstgenannte Bezeichnung ist der »innere Entwurf« (Idee), der der Entwurfslösung vorangeht und unabhängig von ihr ist. *Disegno externo* ist die äußere, sichtbare Form der Vorstellung – die eigentliche künstlerische Darstellung des architektonischen Inhalts.

Die Skizze, als »das Zeichnen von Konturen« definiert, ist als symbolische Abstraktion zu verstehen. *Leonardo da Vinci* versicherte, die Linien gebe es in der Natur nicht, der Begriff Linie entstehe auf intellektuellem Wege und sei ein erster Entwurf, der zunächst für sich allein noch nichts beschreibe, erst im Zusammenspiel mit individuellen Chiffren eines Meisters Gehalt und Aussage bekomme.

Die Skizze ist die erste und einfachste Art des Zeichnens, die den Gebrauch der Linie in ihrer reinsten Form zeigt und meist dem Umrißzeichnen gleichgesetzt wird. In der Umrißzeichnung sind die verschiedenen Aspekte eines Objekts (einer Architektur) ohne die Wirkung von Licht und Schatten auf ein vereinfachtes ideales Ergebnis beschränkt.

Skizzieren ist eine Art Nachdenken auf dem Papier. Die Sprache des Architekten ist die Zeichnung. Man kann die Architektur-Zeichnung als dokumentierte Struktur ansehen, in der Linien oder andere Chiffren nach dem Willen des Zeichners Zusammenhänge sichtbar machen.

Durch das Erzeichnen (die skizzenhafte Erarbeitung) von utopischen Projekten werden nicht nur ständig Gedanken und Philosophien festgehalten und überliefert, von den schöpferischen Akten bekannter und unbekannter Meister gingen zu allen Zeiten Impulse und Anregungen aus. Was wäre die russische Revolutionsarchitektur ohne die Projekte und Zeichnungen eines *Mjelnikow*, *Tatlin* oder *Lamzow?* Wo bliebe die Entwicklung der technisch-ästhetischen Architektur ohne die Zeichnungen *Toni Garniers* (Cité industrielle) oder *Antonio St. Elias?* Wie bedeutend die Zeichnungen und Projekte der klassischen Moderne *Otto Wagners* und der Architekten der Wagner-Schule sind, beweisen die Rückgriffe der internationalen Architektur-Schulen von heute auf die Zeichenkultur und -techniken der Meister aus den ersten Dezennien des 20. Jahrhunderts.

Ende der fünfziger und Anfang der sechziger Jahre entsteht weltweit eine Bewegung durch eine neue Architektengeneration, die zum Nachdenken provozierende Experimente zur Diskussion stellt. Ein Anstoß ging von England aus. Hier war es die *Archigram-Gruppe (Warren Chalk, Peter Cook, Dennis Crompton, David Greene, Ron Herron* und *Michael Webb)*, die das Image einer volltechnisierten Welt in phantasiereichen utopischen Architekturvisionen zeichnerisch hochstilisierte und die herkömmlichen Begriffe von Gebäude, Haus und Stadt aufhob. In graphisch raffinierten Ideenskizzen, in einer Mischung von Science-Fiction und Pop-Art, stellen die progressiven Architekten ihre Einfälle in den sechziger Jahren zeichnerisch dar.

In eigenständiger Position begann sich in Österreich

früher als im übrigen Mitteleuropa eine Architektur-Avantgarde mit Hilfe von theoretischen Arbeiten und Manifesten gegen den erstarrten Internationalen Stil aufzulehnen.

Die Betrachtung oder gar Beurteilung von zwanzig Jahren Architekturentwicklung in Österreich wäre ohne Berücksichtigung und Einordnung der entstandenen Projekte und Zeichnungen aus diesem Zeitraum unvollständig. Mehr als die Realisationen der sechziger und siebziger Jahre waren die unausgeführten Projekte und Ideen aus dieser Zeit maßgebend und wirksam. Einerseits sind es die Skizzen und Zeichnungen zu ausgeführten Bauten, andererseits die visionären Projekte, die in Zeichnungen und Collagen Zeugnis von den intensiven Auseinandersetzungen und Grundsatzdebatten in der Architektur ablegen.

Die »gezeichneten Ideen« – nicht frei von Ideologien – waren Wegweiser, die ein Ausbrechen aus der Gleichgültigkeit der Gewöhnung andeuteten. Dahinter stand das Bemühen, eine Gegenwirkung zu der allgemeinen Formlosigkeit der Schachtel- und Behälterarchitektur zu erreichen. Architektur, die nicht realisiert wurde, ist eines der bedauernswertesten Versäumnisse in der Architekturentwicklung der letzten Jahrzehnte. Peinlich besonders dann, wenn die errichteten Bauwerke sich oft zu den nicht gebauten Projekten verhalten wie das Negativ zum Positiv.

Die für die Entwicklung der »Nachkriegsarchitektur« wichtigen theoretischen und literarischen Äußerungen in der österreichischen Architekturszene begannen Ende der fünfziger Jahre. Einige wenige Unentwegte erkannten die Bedeutung der Architekturtheorie und die Besinnung auf architekturliterarische Zusammenhänge. Drei unabhängig voneinander oder durch Einzelpersonen in loser Verbindung stehende Gruppen der jüngeren Generation waren es, die die Auseinandersetzung mit dem neuen Bauen forcierten. Es waren dies die Studenten und Absolventen der Akademie der bildenden Künste in Wien, die der Technischen Hochschule in Wien und die der Technischen Hochschule in Graz.

An der *Akademie der bildenden Künste am Schillerplatz* schuf ein Meisterschulklima der Nachkriegszeit

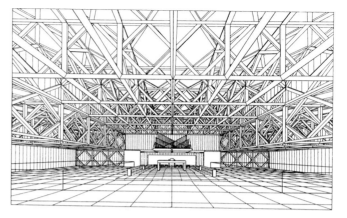

Abb. 1 Arbeitsgruppe 4 (Wilhelm Holzbauer, Friedrich Kurrent, Johannes Spalt), Kirche Schellenberg, Liechtenstein, 2. Fassung, 1958

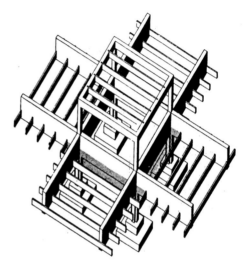

Abb. 2 Arbeitsgruppe 4 (Wilhelm Holzbauer, Johannes Spalt), Betonkonstruktion Kirche St. Florian, 1957

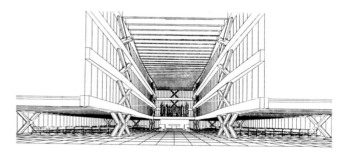

Abb. 3 Arbeitsgruppe 4 (Wilhelm Holzbauer, Friedrich Kurrent, Johannes Spalt), Kirche Seelsorgezentrum Steyr-Ennsleiten (mit Johann Georg Gsteu), 1958

Abb. 4 Hans Hollein, Schräge Gebäude, 1958   *Abb. 5* Hans Hollein, Halbunterirdisches Haus, 1964

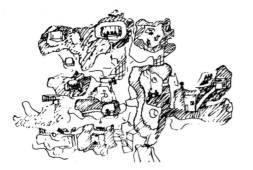

Abb. 6 Hans Hollein, Schnitt durch ein Gebäude, 1960   *Abb. 7* Hans Hollein, Haus, 1959

Abb. 8 Hans Hollein, Stadt, 1960   *Abb. 9* Hans Hollein, Gebäude, 1960

eine Atmosphäre des Nachholens und Nachdrängens. Es waren die um 1930 geborenen und vornehmlich aus Salzburg, Tirol und Oberösterreich nach Wien gekommenen Studenten der Schule Holzmeister, die durch theoretische und praxisbezogene Arbeiten frühe Beispiele setzten. Die *Arbeitsgruppe 4 (Wilhelm Holzbauer, Friedrich Kurrent, Johannes Spalt),* die bereits in den frühen fünfziger Jahren Informationen und Kenntnisse der Vorgänge aus dem Ausland beachtet hatte, kämpfte durch konsequente und kompromißlose Haltung um die verstärkte Beachtung der Qualität in der Architektur. Das Projekt einer Wohnraum-Schule 1953, die Realisation der Kirche in Salzburg-Parsch 1953 bis 1956, der Entwurf für eine Kirche in Schellenberg, Liechtenstein *(Abb.1)* oder das Wettbewerbsprojekt Berlin, Mehringplatz 1958 waren vielbeachtete Arbeiten in dieser Zeit. Das Architektenteam A-4 wurde im Jahr 1951 gegründet. Zu Beginn gehörte der Arbeitsgruppe noch *Otto Leitner* an, *Wilhelm Holzbauer* schied 1964 aus. In der Folgezeit wurden Projekte und Realisationen von *Spalt* und *Kurrent* gemeinsam oder auch einzeln ausgeführt. Noch während der Studienzeit (Spalt und Kurrent diplomierten an der Meisterschule Holzmeister 1952, Holzbauer ebendort 1953) und bis in die späten sechziger Jahre waren die drei annähernd gleich befähigten, im Temperament aber verschiedenen »Dreiviertler« so etwas wie eine moralische Instanz auf dem Wiener Architekturboden. Für sie stand von Anbeginn an eine funktionalistische Entwurfsmethode, die formale Aspekte in enger Beziehung zur Bauaufgabe betonte, im Vordergrund. So gelang es diesem Team bereits sehr früh, Entwürfe und Projekte zur Diskussion zu stellen, die Konzepte und Grundsätze zum Inhalt hatten. *Holzbauer, Kurrent* und *Spalt* zählten auch zu den ersten, die eine Beziehung zur klassischen Moderne eines *Otto Wagner* suchten und aufnahmen. Die Betonung des Konstruktiven als raum- und körperbestimmendes Element war ihr Anliegen. Die klaren, übersichtlichen Zeichnungen und Projektdarstellungen, wie das Betonskelett der nicht ausgeführten Kirche Wien-Glanzing oder das Konstruktionsschema der ebenfalls Projekt gebliebenen Kirche St.Florian in Wien

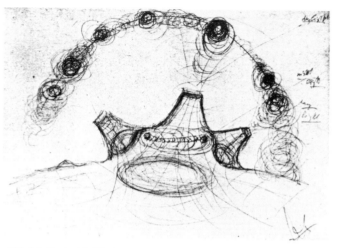

Abb.10 Frederick Kiesler, Entwurfszeichnung für das »Endlose Haus«, 1959

Abb.11 Frederick Kiesler, Das endlose Haus, 1959

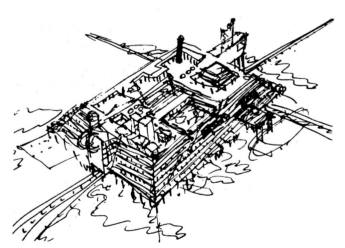

Abb.12 Arbeitsgruppe 4 (Friedrich Kurrent, Johannes Spalt), Wohnberg, 1965

156

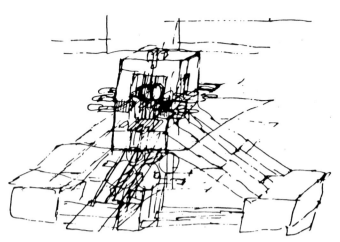

Abb.13 Walter Pichler, Oberirdische Gebäude I, 1960

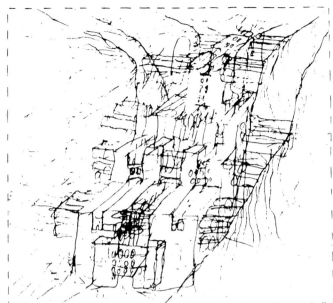

Abb.14 Walter Pichler, Skizze zu einer Stadt, 1962

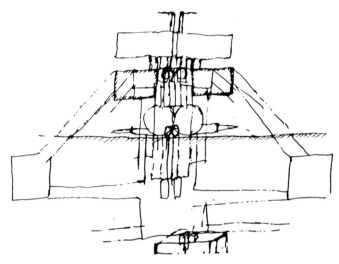

Abb.15 Walter Pichler, Oberirdische Gebäude II, 1960

Abb.16 Walter Pichler, Kompakte Stadt, 1963

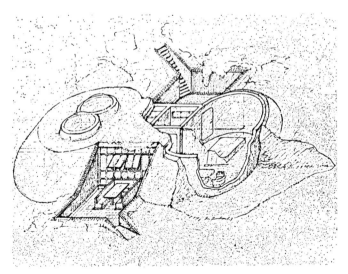

Abb.17 Walter Pichler, Haus, 1964

Abb.18 Hans Hollein, Häuser, 1961

157

Abb.19 Friedrich Kurrent, Wiener Flakturm Projekt, 1963

Abb.20 Hans Hollein, Skizzen zu Flakturmprojekten in Wien, 1960

Abb.21 Wilhelm Holzbauer, Hubschrauberbürohaus, 1961   *Abb.22* Wilhelm Holzbauer, Hubschrauberbürohaus, 1961

Abb. 23 Wilhelm Holzbauer, Skizze zu Hubschrauberbürohaus, 1961

(Abb.2) zeigen ihre prägnante ars formulandi. In Darstellungsart und Stil der Zeichnung wird das ausgeprägte Interesse an funktionellen Konzeptionen und die Aufnahme von klassischen Ordnungsprinzipien sichtbar. So auch die stark ins Physiognomische reichende, überbetonte Betonkonstruktion des Seelsorgezentrums Steyr-Ennsleiten in Oberösterreich. Ein Entwurf, der gemeinsam mit *Johann Georg Gsteu* 1951–1961 ausgeführt wurde *(Abb.3)*. An der *Technischen Hochschule Wien* (heute Technische Universität) war es *Günther Feuerstein*, der in den frühen sechziger Jahren mit dem von ihm gegründeten Klubseminar als Zeichensetzer und Anreger wirkte. Feuerstein war es, der auf seine emotionelle Art und Arbeitsweise irrationalistische Architekturauffassungen durch die Überbetonung der Formen zur Diskussion stellte. Durch die literarischen und theoretischen Äußerungen der diversen Gruppen und vor allem durch *Feuerstein* selbst, dessen Beitrag »Inzidente Architektur« und dessen Arbeit »Archetypen« viel beachtet wurden, entstanden polemische, aber wirksame Aktionen. Die wichtigsten und wirkungsvollsten Teams dieser Zeit waren »*Coop Himmelblau*« *(Prix* und *Swi) (Abb.35, 44)* und »*Haus-Rucker-Co*« *(Laurids Ortner, Günter Zamp Kelb* und *Manfred Ortner) (Abb. 42, 43, 48, 49)*.

Anstoß und eigentlicher Wendepunkt in der Wiener Entwicklung war die Ausstellung »Architektur« von *Hans Hollein* und *Walter Pichler* im Jahr 1963 im seinerzeitigen Avantgarde-Treffpunkt des Kunstförderers Monsignore *Otto Mauer*, in der Galerie St.Stephan. Aktionistisch wandten sich die beiden Autoren gegen die Überbetonung des Funktionalismus und rüttelten mit Manifesten und visionären Zeichnungen an den festgefahrenen dienenden Funktionen der Architektur *(Abb. 4–9* und *13–18)*. *Hans Hollein* und *Walter Pichler* – inzwischen getrennte Wege gehend – mühten sich um die Befreiung der Architektur aus der untergeordneten Rolle des Dienenden zu ihren ursprünglichen universellen Inhalten und Werten. *Hans Hollein* formulierte 1963: »Architektur ist eine geistige Ordnung, verwirklicht durch Bauen. Die Gestalt eines Bauwerks entwickelt sich nicht aus den materiellen Bedingun-

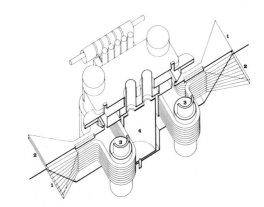

Abb.24 Friedrich St.Florian, Interchange 1, 1966

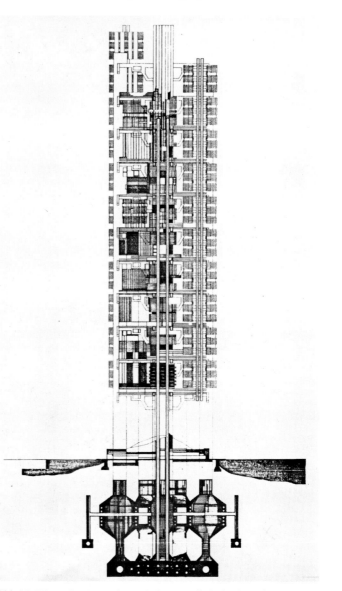

Abb.25 Klaus Gartler und H. Rieder, Vertikale Stadt und Industrieanlagen für Graz, 1963/64

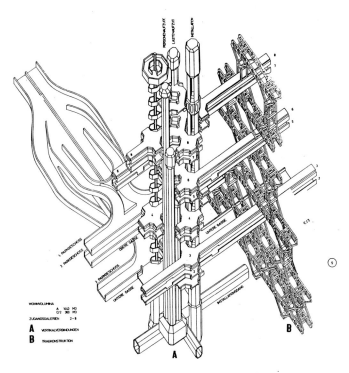

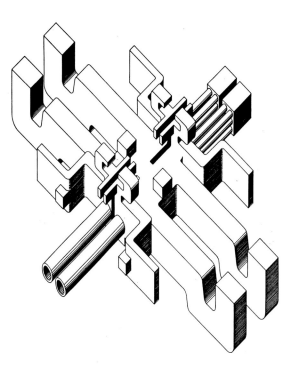

Abb. 26 Günther Domenig / Eilfried Huth, Stadtprojekt
Ragnitz, 1965

Abb. 27 Hans Hollein, Knotenpunkt einer Stadt, 1962/63

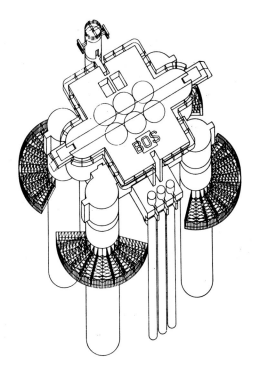

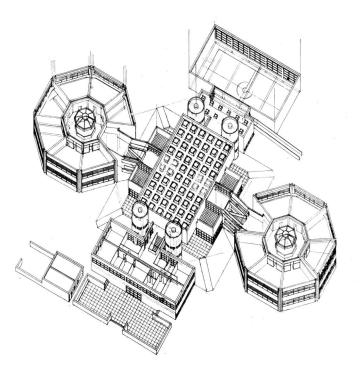

Abb. 28 Friedrich St. Florian, Interchange 2, 1966

Abb. 29 Gustav Peichl, Audiovisions-Schule Mistelbach, 1966

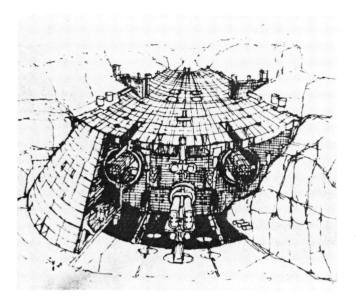

Abb.30 Raimund J. Abraham, Gletscherstadt, 1963/64

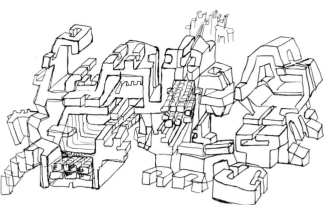

Abb.31 Barna Sartory, Stadt, 1966

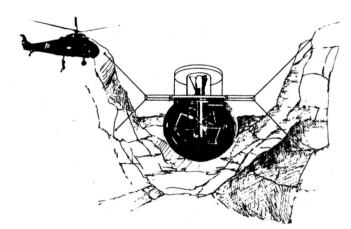

Abb.32 Raimund J. Abraham, Universelles Haus, 1967

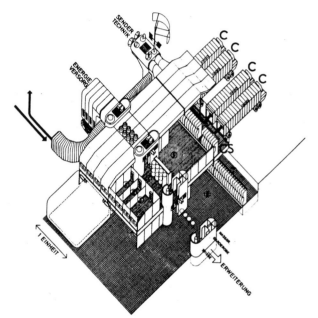

Abb.33 Peter Nigst, Projekt Informationsinsel, 1969

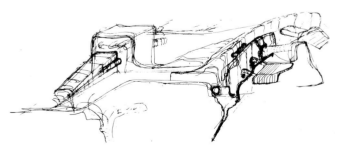

Abb.34 Franco Fonatti, Stadtfragment, 1969

Abb.35 Coop Himmelblau, Villa Rosa, 1967

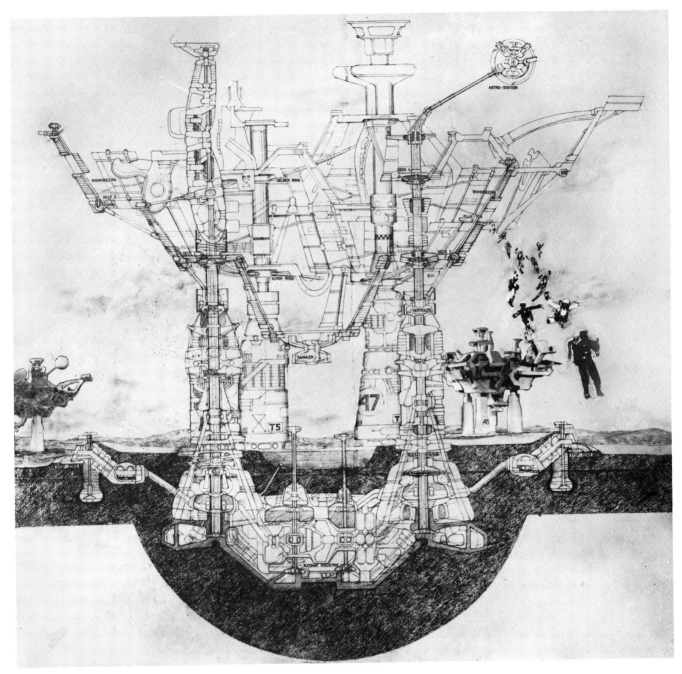

Abb. 36 Haus-Rucker-Co, 47. Stadt, 1967

gen eines Zwecks. Ein Bauwerk soll nicht seine Benützungsart zeigen, ist nicht Expression von Struktur und Konstruktion, ist nicht Umhüllung oder Zuflucht. Ein Bauwerk ist es selbst.« Und *Walter Pichler* schreibt zur gleichen Zeit: »Architektur! Sie wird geboren aus den stärksten Gedanken!«

Von Anbeginn legte es *Hans Hollein* auf eine breite universell-künstlerische Tätigkeit als Architekt, Designer, Utopist und Objektemacher an. Durch seinen Aufenthalt in den Vereinigten Staaten 1958–1960 geformt und beeinflußt, veränderte er nach seiner Rückkehr die Wiener Architekturszene durch Präsentation seiner ideenreichen, visionären Zeichnungen und Collagen. Seine Projekte und Skizzen »Schräge Gebäude« *(Abb. 4),* »Halbunterirdisches Haus« *(Abb. 5)* oder die Skizzen zu Flakturmprojekten in Wien *(Abb. 20),* alle um 1960 entstanden, weisen *Hollein* als den Herausforderer der damals eingeübten, erstarrten konstruktiv-funktionalistischen Architekturauffassung aus. Hollein ist der Zeichner der Illusionen.

Einfluß auf *Hollein* hatte der in den Vereinigten Staaten lebende österreichische Architekt *Frederick Kiesler*. Kiesler beschäftigte sich zur gleichen Zeit in New York mit der Auffassung, daß jedes Projekt des Universums in Beziehung zu seiner Umwelt entworfen werden muß. Bestandteil seiner Philosophie des »Correalism« war die Forderung an den Erbauer, »sich der Lebenskräfte weitgehend bewußt zu sein, von welchen jenes kleine Universum begleitet wird, das er durch Abgrenzungen verschiedener Art für den Menschen baut«. Folgerichtig erarbeitete Kiesler seine Projekte, indem er ihrer psychologischen Dimension ebenso Rechnung trug wie ihren technischen und ästhetischen Voraussetzungen. Kieslers Ideenzeichnungen zum Projekt »Endloses Haus« *(Abb. 10, 11)* sind Beispiele artistisch-kreativer Skizzen zur visionären Architekturdarstellung.

Ebenfalls amerikanische Einflüsse aufnehmend, war *Wilhelm Holzbauer* 1956–1958 in den Vereinigten Staaten tätig, erst als Gastprofessor, später als Partner und Leiter von Seminaren an der University of Illinois in Chicago. Seine Skizzen und Zeichnungen verraten eine kraftvolle eigenständige Handschrift. Zwischen den Skizzenblättern zu seinem Hubschrau-

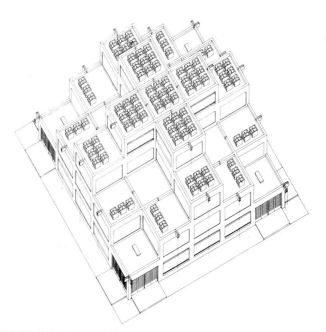

Abb. 37 Ottokar Uhl, Seelsorgezentrum Taegu, 1966

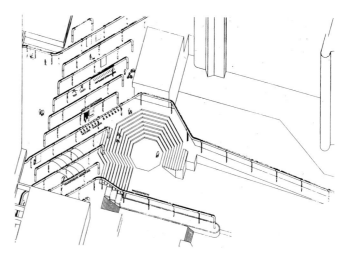

Abb. 38 Hans Hollein, Media-Linien, Olympisches Dorf, München, 1972

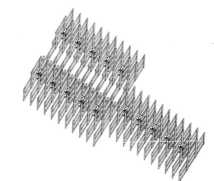

Abb. 39 Ottokar Uhl, Konstruktionszeichnung Hollabrunn, 1977

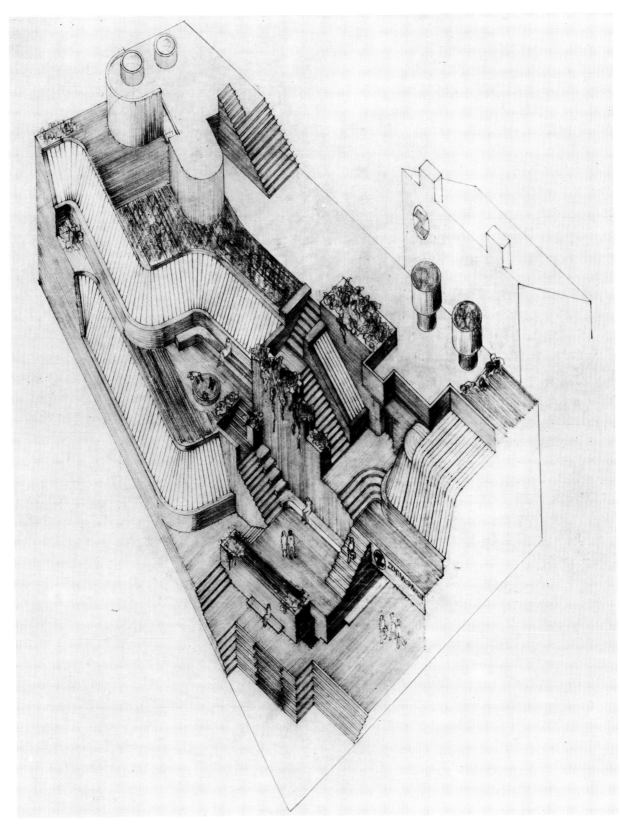

Abb. 40 Hans Hollein, Entwurf Zentralsparkassengebäude Wien, 1965

berbürohaus aus dem Jahr 1961 *(Abb. 23)* und den Skizzenblättern für das Opernhaus und Rathaus Amsterdam, 1979 *(Abb. 61)*, liegt eine konsequente Weiterentwicklung einer eigenständigen Zeichenästhetik ohne Rücksichtnahme auf modische Entwicklungen in der Darstellungstechnik.

Nach 1960 wurden unabhängig von der Wiener Situation durch junge Architekten in den Bundesländern Gedanken und Überlegungen formuliert, die neue Blickrichtungen in Bezug auf die Umweltgestaltung sichtbar machten. Zwei Ausstellungen waren es, die Mitte der sechziger Jahre einen Überblick über die Architekturereignisse in der Steiermark gaben, wobei (wie bereits eingangs erwähnt) besonders die Tätigkeit der Studenten der *Grazer Technischen Hochschule* (heute Technische Universität Graz) augenfällig wurde. In den ersten Ausstellungen wurden 1965 anläßlich der Kapfenberger Kulturtage eine Reihe signifikanter Einzellösungen gezeigt, die von Studenten zusammengestellt worden waren. Diese Hochschularbeiten waren Teile einer in Graz gestarteten »Aktion Architektur«, die vor allem von *Bernhard Hafner, Klaus Gartler* und *H. Rieder (Abb. 25), Günther Domenig* und *Eilfried Huth* sowie *Friedrich St. Florian* und *Raimund J. Abraham* getragen wurde. Profilierte Arbeiten in diesem Zusammenhang entstanden durch die *Werkgruppe Graz (E. Gross, F. Gross, W. Hollomey* und *H. Pichler). Friedrich St. Florian* ging bereits 1962 in die Vereinigten Staaten und macht seither immer wieder durch seine sensiblen, visionären Projekte von sich reden. So durch das »Haus am Felsen« auf Elba, 1973 *(Abb. 56)*. International stark beachtet werden die Projekte von *R. J. Abraham*. So der Beitrag im Rahmen seiner Vorschläge zum Ausbau Venedigs »Ospedale S. Girolamo«, 1980 *(Abb. 54)*.

Im Jahr 1966 war es eine Präsentation unter dem Titel »Struktureller Städtebau« in der Neuen Galerie in Graz, die in Breite und Vielfalt neue städtebauliche Interpretationen zur Diskussion stellte – damals eine wesentliche Bereicherung der österreichischen Architekturszene. Es war vor allem das Projekt Ragnitz der Planungsgruppe *Domenig und Huth,* das den strukturellen Städtebau formal neuartig interpretierte *(Abb. 26)*. Ein wichtiges Korrektiv inner-

Abb. 41 Heinz Frank, »Erdachte Gedanken an Architektur«, 1971

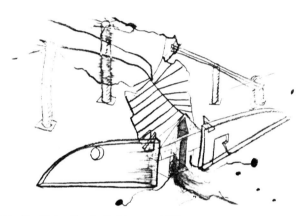

Abb. 41a Heinz Frank, Zeichnung, 1979

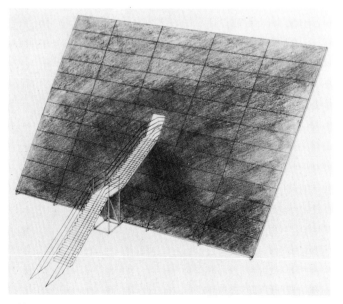

Abb. 42 Haus-Rucker-Co, Schräge Ebene, 1976

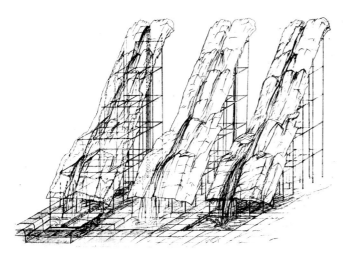

Abb. 43 Haus-Rucker-Co, 3 Wasserfälle, 1975

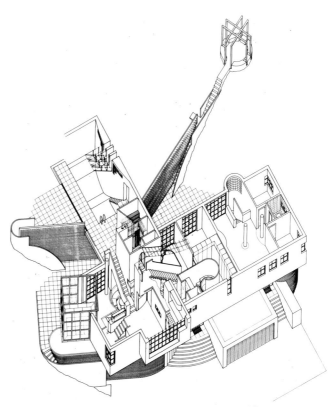

Abb. 45 Gert Michael Mayr-Keber, Haus Erne, 1976

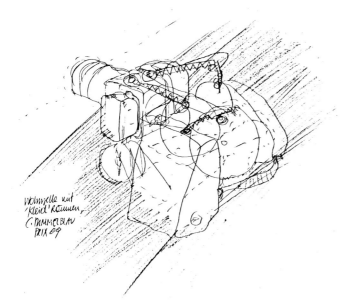

Abb. 44 Coop Himmelblau, Wohnzelle mit »Kleid«-Räumen, 1978

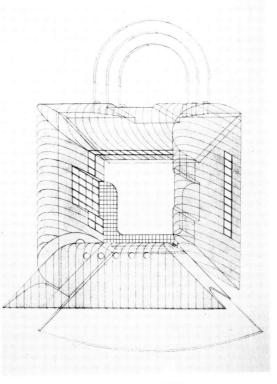

Abb. 46 Raimund J. Abraham, »Haus mit Vorhängen«, 1972

Abb. 47 Heinz Tesar, Kinderhaus/Typ, 1973

167

halb der österreichischen Architekturszene der sechziger Jahre waren die journalistischen Beiträge in den Tageszeitungen. Besonders *Friedrich Achleitner* durch seine regelmäßige Architekturkritik (»Die Presse«, Wien, 1963–1971), später aber auch *Günther Feuerstein* und *Hermann Czech* haben die Planungs- und Bautätigkeit beobachtet und dadurch sehr zur Belebung der Diskussion beigetragen.

Unterscheidet man bei Projektdarstellungen spontane, künstlerische Zeichnungen (emotional) und mathematisch-geometrisch exakte Zeichnungen (rational), so ist *Ottokar Uhl* den nach Ratio arbeitenden Planern zuzuzählen. Durch die Lehren *Konrad Wachsmanns* beeinflußt, ist Uhl um die klare, konstruktiv-betonte Funktion bemüht. In seinen Arbeiten sind die Vorfabrikation und die Flexibilität bestimmend. Der Welzenbacher-Schüler profilierte sich bereits in den sechziger Jahren durch frühe theoretische Arbeiten auf dem Gebiet der Liturgie und des Kirchenbaus. In den siebziger Jahren setzte sich Uhl für eine Betonung des wissenschaftlichen Stellenwertes in der Architektur ein. Seine programmatischen Vorlieben werden in der Darstellung der sparsam und exakt gezeichneten Blätter deutlich *(Abb. 37, 39)*. Ebenfalls am Rationalen orientiert, mit einer Vorliebe für modulare Ordnung und konstruktiv-geometrische Konzeptionen, erarbeitet *Johann Georg Gsteu* schematisierende, präzise Zeichnungen zur Erläuterung seiner Ideen *(Abb. 53)*. Eng verwandt mit Gsteus Überlegungen sind die Projekte des in Wien lebenden Italieners *Alessandro Alvera*, dessen Entwürfe die Beziehungen zwischen Geraden und Rundungen, Ruhe und Bewegung nach einem bestimmten Konstruktionsprinzip hervorheben *(Abb. 50)*. Ebenfalls aus Italien kommt der in Wien an der Akademie der bildenden Künste lehrende *Franco Fonatti,* der, auf der Tradition romanischer Architekturvision aufbauend, Zeichnungen und Projekte zum Thema Raum und Struktur erarbeitet *(Abb. 34)*.

Waren es in den sechziger Jahren vorrangig utopische Ideen und Projekte oder visionäre Zeichnungen, die die Architekturdiskussion bereicherten und als Kampfmittel gegen festgefahrene Zeitgeiststrome gedacht waren, so stehen in den siebziger Jahren

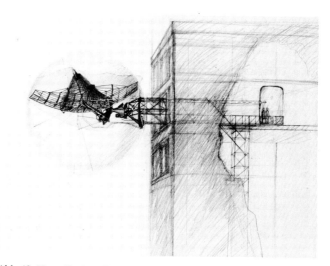

Abb. 48 Haus-Rucker-Co, Oase, 1971

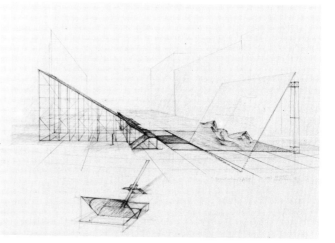

Abb. 49 Haus-Rucker-Co, Landschaftsbild, 1973

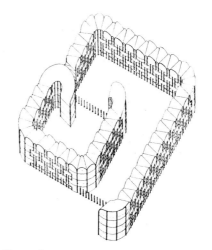

Abb. 50 Alessandro Alvera, Wohnbauprojekt, 1974

Abb.51 Luigi Blau, Projekt Haus André Heller, 1979

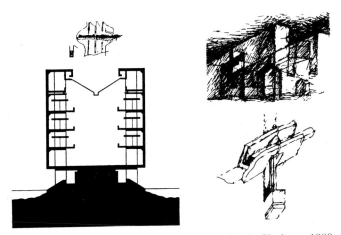

Abb.54 Raimund J. Abraham, Venedig, Ospedale S. Girolamo, 1980

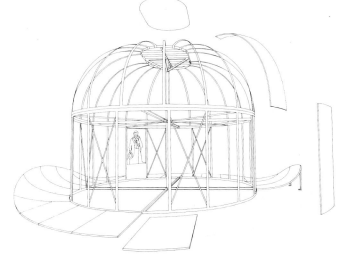

Abb.52 Missing Link, »Hutobjekt Asyleum«, 1976

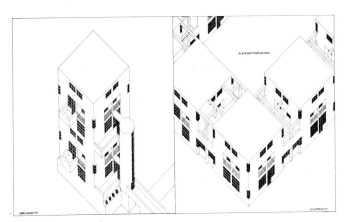

Abb.55 Missing Link, Wohnhausprojekte, 1977

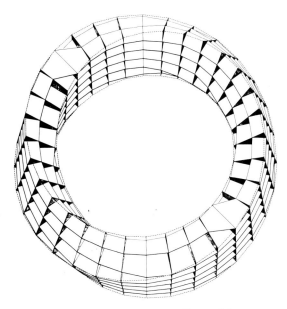

Abb.53 Johann Georg Gsteu, Zeichnung Konstruktionsstudie, 1976

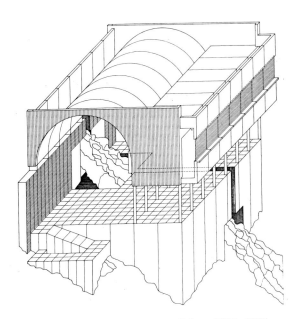

Abb.56 Friedrich St.Florian, Haus am Felsen, 1973–1976

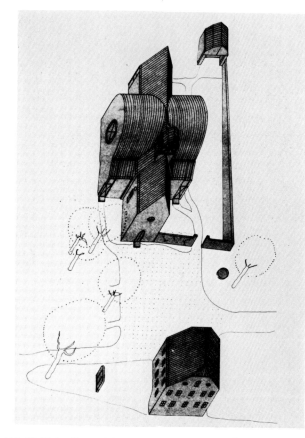

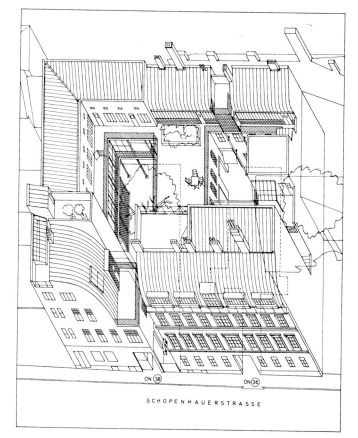

Abb. 59 Heinz Tesar, Pfarrkirche Klein-Arl, 1978

Abb. 58 Peter Nigst, Städtische Bebauung, 1979

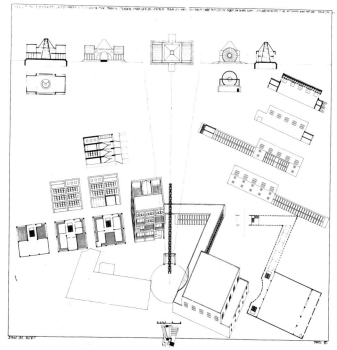

Abb. 57 Dietmar Steiner, Schule der Arbeit, 1979

Abb. 60 Michael Loudon, Entwurf für ein Haus, 1979

170

Abb. 61 Wilhelm Holzbauer, Skizze Oper und Rathaus Amsterdam, 1979

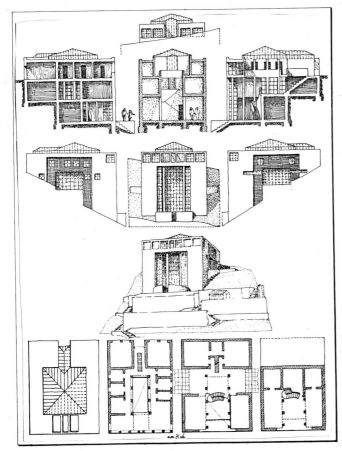

Abb. 62 Rob Krier, Haus Weidemann, Stuttgart, 1975

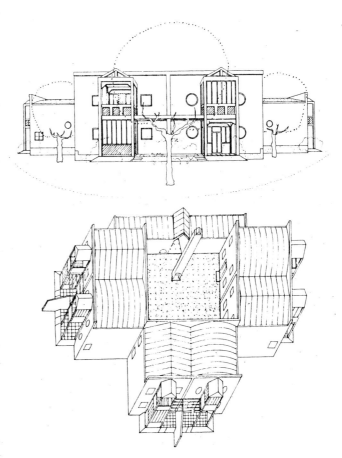

Abb. 63 Heinz Tesar, Haus in Gruppe, 1978

mehr die praxisnahen Entwürfe mit funktionsbedingten Inhalten im Vordergrund.

Der Rainer-Schüler *Heinz Tesar* ist bestrebt, seine Architekturprojekte in die Gesamtheit zwischen gegebenen Beziehungen und Bindungen zu stellen. In seinen Arbeiten sind Mittel der Verfremdung angedeutet. Die Kenntnis der baulichen Realisierbarkeit steht jedoch im Vordergrund. Die Skizzen und Zeichnungen Tesars zeugen von einer intensiven Beschäftigung mit Problemen gesellschaftlicher Zusammenhänge *(Abb. 47, 63)*.

Die Zeichnungen des gleichaltrigen *Heinz Frank* zählen vorrangig zu den sensiblen künstlerischen Blättern in Wien. Seine feinnervigen Skizzenblätter zum Titel »Erdachte Gedanken an Architektur« aus dem Jahr 1971 *(Abb. 41)* ergänzt er durch erläuternde Texte, wie zum Beispiel:
»transparente decken, zerschnitten, durch verchromte adern, die durchkriechen unter wänden, gespannt wie membranen, in kreisen aus silber.«
Eigenständige, an historischen Vorbildern eingeübte Zeichnungen sind Trade-mark des an der Wiener Technischen Universität als Gestaltungslehrer tätigen Luxemburgers *Rob Krier.* Als Einzelkämpfer und Wegbereiter einer neuen international strapazierten »postmonumentalen« Architekturgesinnung werden seine mit klassischer Akribie ausgearbeiteten Zeichnungen zu eigenständigen Kunstwerken *(Abb. 62)*.

Luigi Blau, ein Absolvent der Meisterschule Prof. Plischke, legt in seinen Arbeiten Wert darauf, die gestellten Architekturaufgaben durch eine zurückhaltende, bescheidene Gestaltung zu lösen. Er ist Meister des »Unterspielens« und setzt deutliche Zeichen gegen den maßstablosen Formenexhibitionismus. Der Entwurf des Wohnhauses für André Heller zeigt einige der Möglichkeiten für gestalterisch und materialmäßig zurückhaltende Lösungen auf *(Abb. 51)*.

Die jüngere Generation, die sich »A new wave of Austrian Architecture« nennt und als »*Dritte Moder-*

ne« versteht, versucht gegen die geschichtslosen Architekturen und Bauweisen der letzten Jahrzehnte aufzutreten und ist bemüht, durch bewußtes Aufnehmen historisch bewährter Modelle eine geänderte Architekturauffassung zu propagieren. Es sind dies die unter anderem durch »Zitate« der Alltagsästhetik angereicherten Entwurfsideen wie beispielsweise die »Schule der Arbeit« von *Dietmar Steiner (Abb. 57)* oder Projekte wie die historisch aufgearbeiteten »Wiener Studien« der Gruppe »*Missing Link*« (*Kapfinger, Krischanitz) (Abb. 55)*. Eine provisorische Architektur mit ironisch-witzigem Design gelang dem Team mit dem »Hutobjekt Asyleum« für den Wiener Supersommer 1976 *(Abb. 52)*.

Die Situation der theoretisch-literarischen Architekturentwicklung der achtziger Jahre ist offen. Es gibt einige Strömungen unter den Absolventen der österreichischen Architekturhochschulen, innerhalb derer es sich die jungen Architekten zur Aufgabe gemacht haben, die Geschichte der modernen Architektur aufzuarbeiten und sich mit der Entwicklung der zeitgenössischen Architektur kritisch auseinanderzusetzen. Man entdeckt wieder »Räume« und setzt sich mit der Maßstäblichkeit auseinander. Das Bemühen, die baukulturellen Zusammenhänge zu erkennen und architektonische und städtebauliche Orientierungen für neue Ansätze zu finden, ist deutlich erkennbar.

Als Conclusio ist anzufügen, daß dieser Beitrag über *Zeichnungen, Projekte und Utopien* der österreichischen Architektur der letzten zwanzig Jahre im Zusammenhang mit der Dokumentation der vorhergehenden Seiten dieses Buches zu sehen ist. Dem Verfasser, der einerseits den Vorteil des Wegbegleiters und Mitwissers für sich buchen kann, den andererseits aber langjährige Freundschaft mit einem Großteil der Zitierten verbindet, fehlt dadurch die Möglichkeit einer distanzierten Betrachtungsweise. Die angestellten Überlegungen sollen die wichtigsten Trends und high-lights mit den wirkenden Hauptpersonen sichtbar machen – sie können daher weder vollständig noch objektiv sein.

ANHANG

BIOGRAPHIEN DER ARCHITEKTEN

APPELT Werner W.
Architekt
geb. 8. August 1937 in Wien

1958–1962	Akademie der bildenden Künste, Wien, Meisterschule für Architektur, Prof. Clemens Holzmeister
1962	Diplom
seit 1971	freischaffende Tätigkeit als Architekt in Wien
ab 1974	Zusammenarbeit mit Eberhard Kneissl und Renate Elsa Prochazka

Wichtige Bauten:

Gemeinsam mit Eberhard Kneissl und Renate Elsa Prochazka:
Kirchliche Mehrzweckhalle, Rennbahnweg, Wien, 1977
Volkshochschule Margareten, Berufsförderungsinstitut, Wien, 1978
Revitalisierung des Hauses Klostergasse 18, Mödling, Zentralsparkasse der Gemeinde Wien, 1979
Zubau – Wohnhäuser, Rennbahnweg, Wien, 1980
Kirchliche Mehrzweckhalle, Jedlersdorferstraße, Wien, 1980

CZECH Hermann
Architekt
geb. 10. November 1936 in Wien

1954–1956	Schule für Filmgestaltung an der Akademie für Musik und Darstellende Kunst in Wien
1957–1960	Philosophische Studien an der Universität Wien Architekturstudium an der Technischen Hochschule in Wien und an der Akademie der bildenden Künste in Wien, Meisterschule Prof. Ernst A. Plischke
1971	Diplom
1958, 1959	Sommerakademie Salzburg bei Konrad Wachsmann
ab 1974	Lehrtätigkeit an der Hochschule für angewandte Kunst in Wien

Wichtige Bauten:

Restaurant Ballhaus, Wien, 1962
(mit Wolfgang Mistelbauer und Reinald Nohàl)
»Kleines Café«, Wien, 1970 und 1974
»Dicopa«, Büro der Firmenleitung, Wien, 1975
Café »Wunder-Bar«, Wien, 1976
Zubau Villa Pflaum, Altenberg, Niederösterreich, 1979
Haus M., Schwechat, Niederösterreich, 1980

DOMENIG Günther
Architekt, Dipl.-Ing., Professor
geb. 6. Juli 1934 in Klagenfurt/Kärnten

1959	Studium an der Technischen Hochschule Graz Diplom
seit 1960	selbständige Tätigkeit in Graz
1964–1974	Arbeitsgemeinschaft mit Eilfried Huth

Wichtige Bauten:

Trigon-Ausstellung in Graz, 1967
Katholisch-pädagogische Akademie Graz-Eggenberg, 1968
Kirchenzentrum Oberwart, Burgenland, 1969
Olympische Spiele-Restaurant, München, 1972
Forschungsinstitut und Rechenzentrum der VÖEST-Alpine, Leoben, Steiermark, 1973
Mehrzweckhalle, Graz, 1973
Zentralsparkasse (Z-Filiale Favoritenstraße), Wien, 1979

Grand Prix International d'Urbanisme et d'Architecture, Cannes 1969
Europäischer Stahlbaupreis 1975 (mit Eilfried Huth)

GARSTENAUER Gerhard
Architekt, Dipl.-Ing., Dr. techn.
geb. 22. Jänner 1925 in Fusch an der Glocknerstraße/Salzburg

1947	Technische Hochschule in Wien, Fachrichtung Architektur
1953	Meisterschule bei Prof. Theiß Praxis bei Prof. Engelhart in Wien
1954	Beginn der selbständigen Tätigkeit als Architekt
1967	Dr. techn.
1973–1978	Lehrbeauftragter an der Universität Innsbruck Fakultät für Bauingenieurwesen und Architektur
1980	Habilitation an der Technischen Universität Graz

Wichtige Bauten:
ÖFAG, Salzburg, 1958
Felsenbad Badgastein, 1968
Ford Schmidt Alpenstraße, Salzburg, 1969
Mercedes Benz, Salzburg, 1972
Seilbahngondeln, 1972
Kongreßzentrum Badgastein, 1974
Solarbad Dorfgastein, 1978
Holzhaus für eine Familie, Salzburg, 1978

Ehrenpreis der Stadt Salzburg 1963 für besten Industriebau
Staatspreis für gute Form 1973
Salzburger Architekturpreis 1976

GSTEU Johann Georg
Architekt
geb. 26. Juli 1927 in Hall/Tirol

1950–1953	Akademie der bildenden Künste in Wien, Meisterschule Prof. Clemens Holzmeister
1953	Diplom
1953–1955	Akademie der bildenden Künste in Wien, Meisterschule Prof. Emil Pirchan Bühnenbildnerei
seit 1953	freischaffender Architekt in Wien
1953–1958	Zusammenarbeit mit Friedrich Achleitner
1974	Vorsitzender der Österreichischen Gesellschaft für Architektur

Wichtige Bauten:

Rosenkranzkirche Hetzendorf (mit Friedrich Achleitner), 1958
Seelsorgezentrum Steyr – Ennsleiten, Oberösterreich, 1. Teil (mit Friedrich Kurrent, Johannes Spalt), 1961
Seelsorgezentrum Baumgartner Spitz, Wien 1965
Sommerunterkunft des Symposions Europäischer Bildhauer, St. Margarethen, Burgenland, 1968
Seelsorgezentrum Steyr – Ennsleiten, 2. Teil (mit Friedrich Kurrent, Johannes Spalt), 1970
Zentralsparkasse der Gemeinde Wien
Zweiganstalt 20, Umbau, 1972
Wohnhausanlage der Gemeinde Wien, Aderklaaerstraße, 1978

Dr.-Theodor-Körner-Preis (mit Friedrich Achleitner) 1957
Österreichischer Staatspreis für Architektur 1968
Preis der Stadt Wien für Architektur 1976

HIESMAYR Ernst
Architekt, Professor, Dipl.-Ing. Dr. techn.
geb. 11. Juli 1920 in Innsbruck/Tirol

1945–1948	Studium an der Technischen Hochschule Graz
1948	Diplom
seit 1948	selbständig in Tirol, Vorarlberg, Wien
1967	Dr. techn.
seit 1968	Professor an der Technischen Hochschule Wien
1973	Dekan der Fakultät für Bauingenieurwesen und Architektur
1974	Prorektor
1975–1977	Rektor der Technischen Universität Wien

Wichtige Bauten:

Volksschule Bregenz, 1952
Handelskammer für Vorarlberg, 1954
Villenhotel Clima, Wien, 1966
Wirtschaftsförderungsinstitut Linz, 1967
Kirche und Pfarrhof Linz-Langholzfeld, 1967
Universitätsbau, Wien, Hohenstaufengasse, 1980 –
Wohnbauten und Einfamilienhäuser in Vorarlberg, Tirol
Hotels in Innsbruck und Wien

Ehrenmitglied des Bundes deutscher Architekten 1975
Preis der Stadt Wien für Architektur 1975

HOLLEIN Hans
Architekt, Professor
geb. 30. März 1934 in Wien

1953–1956	Akademie der bildenden Künste Wien
1956	Diplom an der Meisterschule Prof. Clemens Holzmeister
1958–1959	Illinois Institute of Technology, Chicago Architektur und Städtebau
1959–1960	University of California, Berkeley, College of Environmental Design
1960	Master of Architecture
1963	Visiting Professor, Washington University, St. Louis, Missouri
1967–1976	Professor und Leiter einer Klasse für Architektur an der Staatlichen Kunstakademie Düsseldorf
seit 1976	Leiter der Meisterklasse und des Institutes für Design an der Hochschule für angewandte Kunst, Wien
seit 1979	Int. Leiter einer Meisterklasse für Architektur an der Hochschule für angewandte Kunst

Wichtige Bauten:

Kerzengeschäft Retti, Wien, 1965
Boutique CM, Wien, 1967
Richard L. Feigen Gallery, New York, 1969
Siemens AG, München 1970–1975
Sitz der Geschäftsleitung
Media-Linien, Olympisches Dorf, München, 1972
Juweliergeschäft Schullin, Wien, 1974
Carl Friedrich von Siemens Stiftung, München 1975
Österreichisches Verkehrsbüro, Wien, 1978
Museum of Glass and Ceramics, Teheran
Neubau Städtisches Museum Abteiberg
Mönchengladbach, Nordrhein-Westfalen, 1981

Reynolds Memorial Award, USA, 1966
Preis des Nationalkomitees, Biennale, Brno, ČSSR, 1968
Österreichischer Staatspreis für Umweltgestaltung 1968

Bard Award for Excellence in Architecture and Urban Design, New York 1970
Rosenthal Studio-Preis 1973
Preis der Stadt Wien für Architektur 1974

HOLZBAUER Wilhelm
Architekt, Professor
geb. 3. September 1930 in Salzburg

1950–1953	Akademie der bildenden Künste Wien
1952–1956	Partner mit Friedrich Kurrent und Johannes Spalt im Rahmen der Arbeitsgruppe 4
1956–1957	Studium an der M.I.T. in Cambridge, USA
1957–1958	Gastprofessor an der University of Manitoba Winnipeg, Canada Gastprofessor an der Yale University, New Haven, USA
1960–1964	Weitere Zusammenarbeit mit Kurrent und Spalt
1967 u. 1968	Entwurfsseminare an der University of Illinois, Chicago
seit 1977	o. Professor an der Hochschule für angewandte Kunst, Wien

Wichtige Bauten:

Kirche in Parsch, Salzburg (in Zusammenarbeit mit Arbeitsgruppe 4), 1956
Kolleg St. Josef, Salzburg/Aigen (in Zusammenarbeit mit Arbeitsgruppe 4), 1964
Seelsorgezentrum St. Vitalis, Salzburg, 1973
Bildungshaus St. Virgil, Salzburg, 1976
Stationen der Wiener U-Bahn (Ausführung seit 1973 in Arbeitsgemeinschaft mit Heinz Marschalek, Georg Ladstätter, Bert Gantar) 1978 –
Eich- und Vermessungsamt, Salzburg, 1979
Wohnanlage der Gemeinde Wien »Wohnen Morgen« in Wien 15, 1979
Rathaus und Oper in Amsterdam, 1979
Wohnhausanlage IBA Berlin, 1980 –
Amt der Vorarlberger Landesregierung und Landtagsgebäude Bregenz, 1981

Dr.-Theodor-Körner-Preis 1954
Österreichischer Staatspreis 1959
Preis der Stadt Wien für Architektur 1972
Goldenes Ehrenzeichen der Stadt Linz 1979

HOLZMEISTER Clemens
Architekt, Professor, Dr. techn.
geb. 27. März 1886 in Fulpmes/Tirol

1919–1924	Studium an der Technischen Hochschule Wien Lehrer an der Staatsgewerbeschule Innsbruck
1924–1928	Professor und Leiter der Meisterschule für Architektur an der Akademie der bildenden Künste, Wien (1933–1937 Rektor)
1928–1932	gleichzeitig Leiter einer Meisterschule für Architektur an der Kunstakademie Düsseldorf
ab 1954	Professor und Leiter der Meisterschule für Architektur an der Akademie der bildenden Künste, Wien (1955–1957 Rektor)

Wichtige Bauten:

Krematorium, Wien, 1924
Festspielhaus Salzburg, 1926
Trinkhalle Bad Hall, 1927
Stiftskirche in Altenburg, 1928
Regierungsbauten in Ankara, Türkei, 1928–1942
Schlageter-Denkmal, Düsseldorf (zerstört) 1929
Pfarrkirche Maria Grün, Blankenese bei Hamburg, 1929–1930
Pfarrkirche St. Adalbert, Berlin, 1933
Kanzlerkirche, Vogelweidplatz Wien, 1933
Neues Festspielhaus, Salzburg, 1960
Pfarrkirche St. Johann, Volders, Tirol, 1965

Großer Österreichischer Staatspreis 1953
Ehrenzeichen für Wissenschaft und Kunst 1957
Großes Verdienstkreuz mit dem Stern der Deutschen Bundesrepublik 1959

HUTH Eilfried
Architekt, Dipl.-Ing.
geb. 1. Dezember 1930 in Pengalengan, Java/Indonesien

1950–1956	Studium an der Technischen Hochschule in Graz, Fachrichtung Architektur
seit 1956	freischaffende Tätigkeit und Mitarbeit in einem Architekturbüro in Leoben
1964–1974	Büro mit Günther Domenig in Graz
1971–1972	Gastprofessor an der Gesamthochschule in Kassel
seit 1975	Architekturbüro Stainzerhof

Wichtige Bauten:

Restaurant Nord, München, Olympia-Gebäude, 1972
Restaurant-Pavillon, München, Olympia-Schwimmhalle, 1972
Jugendzentrum Handelskammer Steiermark, Graz-St. Peter, 1973
Forschungsinstitut und Rechenzentrum der VÖEST-Alpine, Leoben, 1973
Wohnmodell Eschensiedlung, Deutschlandsberg, 1979
Wohnanlage Graz-Puntigam, 1979
Einfamilienhaus Weinburg, 1980
Wohnmodell Deutschlandsberg, Eschensiedlung, 1., 2. und 3. Baustufe

Grand Prix International d'Urbanisme et d'Architecture, Cannes 1969
Europäischer Stahlbaupreis 1975 (mit Günther Domenig)

KNEISSL Eberhard
Architekt
geb. 9. Februar 1945 in Judenburg/Steiermark

1966–1970	Akademie der bildenden Künste, Wien Meisterschule für Architektur, Prof. Ernst A. Plischke
1970	Diplom
1973	Gründung der Gruppe IGIRIEN
ab 1974	Zusammenarbeit mit Werner W. Appelt und Renate Elsa Prochazka

Wichtige Bauten:

Gemeinsam mit Werner W. Appelt und Renate Elsa Prochazka:
Kirchliche Mehrzweckhalle Rennbahnweg, Wien, 1977
Volkshochschule Margareten, Berufsförderungsinstitut, Wien, 1978
Revitalisierung des Hauses Klostergasse 18, Mödling, Zentralsparkasse der Gemeinde Wien, 1979
Zubau – Wohnhäuser, Rennbahnweg, Wien, 1980
Kirchliche Mehrzweckhalle, Jedlersdorferstraße, Wien, 1980

KURRENT Friedrich
Architekt, Professor
geb. 10. September 1931 in Hintersee/Salzburg

1952	Diplom nach Studium an der Akademie der bildenden Künste, Meisterschule Prof. Clemens Holzmeister
1956	Mitglied der Arbeitsgruppe 4 (mit Wilhelm Holzbauer und Johannes Spalt)
1956–1957	Assistent an der Sommerakademie in Salzburg bei Konrad Wachsmann
1968	Lehrauftrag an der Akademie der bildenden Künste Wien, Meisterschule Ernst A. Plischke
seit 1973	Professor an der Technischen Universität München

Wichtige Bauten:

Kirche in Parsch, Salzburg (in Zusammenarbeit mit Arbeitsgruppe 4), 1956
Kolleg St. Josef, Salzburg/Aigen (in Zusammenarbeit mit Arbeitsgruppe 4), 1964
Haus Dr. B., Wien, 1964
Firma Wittmann, Etsdorf-Niederösterreich, 1966
»Terra« Baumaschinen AG, Vösendorf bei Wien, 1967

Dr.-Theodor-Körner-Preis 1954
Österreichischer Staatspreis für Architektur 1959
Kulturpreis der Stadtgemeinde Kapfenberg 1967

LACKNER Josef
Architekt, Professor
geb. 31. Jänner 1931 in Wörgl/Tirol

1952	Diplom nach Studium an der Akademie der bildenden Künste in Wien bei Prof. Clemens Holzmeister
1953	Sommerakademie Salzburg, Prof. Hoffmann Praxis in Innsbruck; Auslandsreisen und Projektstudien
1959	Wettbewerbserfolg – Kirche Neu-Arzl, Innsbruck
seit 1959	freischaffender Architekt in Innsbruck
seit 1979	Professor an der Technischen Universität Innsbruck

Wichtige Bauten:

Pfarrkirche Neu-Arzl, Innsbruck, 1959
Sigmund Kripp Haus, Jugendzentrum Innsbruck, 1964
Kirche Lainz, Wien 13, 1965
Pfarrkirche Völs bei Innsbruck, 1967
Pfarrzentrum Glanzing, Wien 19, 1968
Pfarrkirche »St. Barbara«, Wulfen, BRD, 1968
Kirche St. Norbert, Innsbruck, 1969
Schule, Internat, Kloster – Ursulinen, Innsbruck, 1971
Jugendzentrum, Fellbach, BRD, 1974

Würdigungspreis für bildende Kunst vom Bundesministerium für Unterricht und Kunst 1977
Österreichischer Holzbaupreis vom Bundesholzwirtschaftsrat 1979

MAYR Fritz Gerhard
Architekt
geb. 17. Dezember 1931 in Raab/Oberösterreich

1953	Abschluß Höhere Technische Gewerbeschule in Salzburg
1954–1957	Studium an der Akademie der bildenden Künste in Wien; Beginn unter Prof. Welzenbacher, Abschluß unter Prof. Roland Rainer Nach Studium ein Jahr Mitarbeiter bei Prof. Roland Rainer und vier Jahre bei Prof. Hubatsch seither als selbständiger Architekt tätig

Wichtige Bauten:

Modellschule Wörgl (mit Viktor Hufnagl) 1974
Kirche »Zur Heiligsten Dreifaltigkeit« (mit Prof. Fritz Wotruba) 1976
Internat St. Berthold, Wels 1976
Hauptschule Raab, 1978

NORER Günther
Architekt
geb. 7. März 1939 in Innsbruck/Tirol

1959–1963   Akademie der bildenden Künste, Wien
            Diplom Meisterschule Prof. Dr. Roland Rainer

1963–1968   Lehrauftrag für Assistentendienste an der
            Meisterschule Prof. Dr. Roland Rainer

1960–1968   Praxis im Architekturbüro Prof. Dr. Rainer

1968–1969   Stipendium der University of California,
            Los Angeles

1970   Beginn der freischaffenden Tätigkeit

Wichtige Bauten:

Wohnhaus Blaas, Innsbruck, 1973
Volksschule Vomp, Vomp, 1975
Dachaufbau Dr. Stühlinger, Hall, Tirol, 1976
Wohnhaus Dr. Windbichler, Absam, 1978

PARSON Horst Herbert
Architekt, Dipl.-Ing.
geb. 19. August 1935 in Bad Reichenhall/Bayern

            Studium der Architektur in Graz
            Praxis in Innsbruck und Wien
seit 1966   eigenes Architekturbüro

Wichtige Bauten:

Bergkapelle in der Axamer Lizum, 1964
Studentenheim der Diözese Innsbruck, 1968
Haus Schwarz + Schwarz in Aldrans, 1968
Haus Cammerlander in Innsbruck, 1972
Haus Dr. Weigl in Innsbruck, 1973
Haus Dr. Thurner in Sterzing, 1975
Haus Lohmann in Ötz, 1976
Auferstehungskirche Neu-Rum, 1976
Haus Dr. Torggler in Innsbruck, 1979

Preis der Zentralvereinigung der Architekten Österreichs 1970

PEICHL Gustav
Architekt, Professor
geb. 18. März 1928 in Wien

1949–1953   Akademie der bildenden Künste, Wien

1953   Diplom an der Meisterschule Prof. Clemens
            Holzmeister

1953   Sommerakademie Salzburg (Prof. Hoffmann,
            Zürich)

seit 1973   Leiter der Meisterschule für Architektur an
            der Akademie der bildenden Künste in Wien

Wichtige Bauten:

Atriumschule »In der Krim« (Volksschule der Stadt Wien), 1964
Austria Pavillon Worlds Fair New York, 1964
Konvent der Dominikanerinnen in Wien-Hacking, 1965
RZ Meidling, Rehabilitationszentrum für Hirngeschädigte, 1968
ORF Studios in Linz, Salzburg, Innsbruck, Dornbirn, 1972
Graz und Eisenstadt, 1981
Biennale di Venezia (Revitalisierung Molino Stucky), 1975
EFA, Erdefunkstelle Aflenz, Steiermark, 1980
PEA, Phosphateliminationsanlage Berlin-Tegel, 1980

Preis der Stadt Wien für Architektur 1969
Großer Österreichischer Staatspreis 1971
Reynolds Memorial Award, USA 1975

seit 1955 politischer Karikaturist (Pseudonym IRONIMUS)

PROCHAZKA Renate Elsa
Architekt
geb. 25. August 1948 in Wien

1966–1970   Technische Universität Wien, Fakultät für
            Bauingenieurwesen und Architektur

1970–1973   Akademie der bildenden Künste, Wien Meister-
            schule für Architektur Prof. Ernst A. Plischke

1973   Diplom

1973   Gründung der Gruppe IGIRIEN

ab 1974   Zusammenarbeit mit Werner W. Appelt und
            Eberhard Kneissl

Wichtige Bauten:

Gemeinsam mit Werner W. Appelt und Eberhard Kneissl:
Kirchliche Mehrzweckhalle, Rennbahnweg, Wien, 1977
Volkshochschule Margareten, Berufsförderungsinstitut, Wien, 1978
Revitalisierung des Hauses Klostergasse 18, Mödling, Zentral-
sparkasse der Gemeinde Wien, 1979
Zubau – Wohnhäuser, Rennbahnweg, Wien, 1980
Kirchliche Mehrzweckhalle, Jedlersdorferstraße, Wien, 1980

PUCHHAMMER Hans
Architekt, Dipl.-Ing. Professor
geb. 13. Mai 1931 in Wels/Oberösterreich

1946–1949   Höhere Bundesgewerbeschule in Salzburg

1949–1956   Studium an der Technischen Hochschule Wien

1950–1954   Tätigkeit im Atelier Prof. Dr. Roland Rainer

1956   Teilnahme an der Internationalen Sommeraka-
            demie in Salzburg unter der Leitung von
            Konrad Wachsmann

1956–1978   Arbeitsgemeinschaft mit Gunther Wawrik

1957–1964   Assistent an der Technischen Hochschule Wien
            Fakultät für Bauingenieurwesen, Institut für
            Hochbau

| 1973 | Vorsitzender der Österreichischen Gesellschaft für Architektur |
| seit 1978 | Ordinarius für Hochbau und Entwerfen an der Fakultät für Raumplanung und Architektur an der Technischen Universität Wien |

Wichtige Bauten:

Siedlung »Goldtruhe«, Brunn am Gebirge, Niederösterreich 1969
Haus Widtmann, Wien, 1968
Bürohaus Grothusen, Wien, 1971
Landesmuseum Eisenstadt, Burgenland, 1976
Stift Lambach, Oberösterreich, Landwirtschaftsschule und Turnsaal, 1980

Preis der Stadt Wien für Architektur 1978

RAINER Roland
Architekt, Professor, Dipl.-Ing., Dr. techn.
geb. 1. Mai 1910 in Klagenfurt/Kärnten

1932	Diplom nach Studium an der Technischen Hochschule Wien
seit 1932	selbständig in Wien
1953–1954	Professor für Wohnungswesen und Städtebau an der Technischen Hochschule Hannover
1955	Professor für Hochbau und Entwerfen an der Technischen Hochschule Graz
ab 1956	Leiter der Meisterschule für Architektur an der Akademie der bildenden Künste Wien
1958–1963	Stadtplaner von Wien
1962–1963	Leiter der Architektenklasse der Salzburger Sommerakademie
seit 1964	Mitglied des Österreichischen Kunstsenats

Wichtige Bauten:

Fertighaussiedlung Wien, Veitingergasse, 1954
Stadthalle Wien, 1958
Böhler-Haus, Wien, 1958
Stadthalle Bremen (mit Säume und Hafemann, Bremen), 1964
Stadthalle Ludwigshafen, 1965
Gartenstadt Puchenau I bei Linz, 1969
AHS Wien-Kagran, 1973
Fernsehzentrum (ORF-Zentrum Wien), Küniglberg, 1976
Römisch-Katholisches Seelsorgezentrum Puchenau, 1976
Gartenstadt Puchenau II bei Linz, 1978

Preis der Stadt Wien für Architektur 1954
Österreichisches Ehrenkreuz für Kunst und Wissenschaft 1962
Großer österreichischer Staatspreis für Architektur 1962

Umfangreiche literarische Tätigkeit, u. a.:
Anonymes Bauen im Iran, 1977
Kriterien der wohnlichen Stadt, 1978
Lebensgerechtes Bauen, 1978

RIEPL Franz
Architekt, Professor
geb. 1. September 1932 in Sarleinsbach/Oberösterreich

1951–1956	Studium an der Technischen Hochschule Wien
1956	Diplom Technische Hochschule Wien
1957	Diözeseanbauamt Linz
1962	Studienreisen – freischaffender Architekt
1958–1962 und 1963–1967	Assistent, Mitarbeiter und Partner von Johannes Ludwig
seit 1967	freischaffender Architekt in München

Wichtige Bauten:

Pfarrgemeindehaus – Kindergarten Ulrichsberg, Oberösterreich, 1959
Evangelisch-lutherisches Gemeindezentrum St. Markus, Coburg (mit Johannes Ludwig), 1965
Kirchenzentrum St. Josef, Wels, Oberösterreich (in Arbeitsgemeinschaft mit Othmar Sackmauer), 1967
Finsterwalderhof Hittenkirchen-Prien, Oberbayern, 1971
Haus Riepl, Sarleinsbach, Oberösterreich, 1972
Pädagogische Akademie der Diözese Linz, Oberösterreich (teilweise mit Othmar Sackmauer), 1975
Hauptkampfbahn, Stadion Köln Müngersdorf (Zusammenarbeit mit Dyckerhoff & Widmann AG), 1975
Haus A. R., Dienergasse, Gallneukirchen, Oberösterreich, 1977

SACKMAUER Othmar
Architekt, Dr. techn., Dipl.-Ing.
geb. 26. Jänner 1930 in Friedberg/ČSSR

	Studium an der Technischen Hochschule Wien
1957–1964	Assistent an der Technischen Hochschule München
seit 1961	freiberufliche Tätigkeit und Studienreisen
seit 1964	Lehrbeauftragter für Malerische Perspektive an der Technischen Universität Wien
1973/74	Lehrbeauftragter für Gestaltungslehre an der Technischen Universität Wien
seit 1973	Lehrbeauftragter für Perspektivlehre an der Hochschule für künstlerische und industrielle Gestaltung in Linz
seit 1978	Wissenschaftlicher Oberrat an der Technischen Universität Wien

Wichtige Bauten:

Kirchenanlage Wels – Pernau, Oberösterreich (in Arbeitsgemeinschaft mit Franz Riepl), 1967
Pädagogische Akademie der Diözese Linz (in Arbeitsgemeinschaft mit Franz Riepl), 1975

SCHWANZER Karl
Architekt, Professor, Dr.techn.
geb. 21. Mai 1918 in Wien
gest. 20. August 1975 in Wien

	Studium an der Technischen Hochschule in Wien
1940	Diplom
1941	Dr.techn.
seit 1947	freischaffender Architekt in Wien
seit 1959	ordentlicher Professor an der Technischen Hochschule Wien, Vorstand des Institutes für Gebäudelehre und Entwerfen
seit 1963	Atelier in München
1967	Gastprofessor an der Technischen Hochschule Budapest
1972	Gastvorlesungen Universität Riyad, Saudiarabien
1973	Gastvorlesungen an der Hochschule in Darmstadt und Budapest

Wichtige Bauten:

Österreich-Pavillon und Europarat-Pavillon auf der Weltausstellung Brüssel, 1958
Museum des 20.Jahrhunderts, Wien, 1962
Wirtschaftsförderungsinstitut (WIFI), Wien, 1964
Verwaltungsgebäude Philips, Wien, 1965
Österreich-Pavillon und Kindergarten der Stadt Wien auf der Weltausstellung Montreal, 1967
BMW-Parkhaus, 1970
Wirtschaftsförderungsinstitut (WIFI), St.Pölten, 1972
BMW-Verwaltungsgebäude München, 1972
BMW-Museum, 1973
Österreichische Botschaft in Brasilia, Brasilien, 1974

»Josef-Hoffmann-Ehrung« der Wiener Secession 1954
Silbernes Ehrenzeichen für Verdienste um die Republik Österreich 1958
Grand Prix für Architektur auf der Weltaufstellung Brüssel 1958
Preis der Stadt Wien für Architektur 1959

SCHWEIGHOFER Anton
Architekt, Professor
geb. 17. November 1930 in Ayancik/Türkei

1954	Diplom nach Studium an der Akademie der bildenden Künste in Wien bei Prof. Clemens Holzmeister
seit 1959	freischaffender Architekt
seit 1977	Professor und Ordinarius für Gebäudelehre und Entwerfen an der Technischen Universität in Wien

Wichtige Bauten:

Kindergarten Taegu, 1966
Kindergarten Wördern, 1968

Kinderdorf in New Delhi, 1969
»Stadt des Kindes«, Wien, 1973
Institutsgebäude der Universität für Bodenkultur Wien, 1974
Schwesternhaus, 1970 und Krankenhaus Zwettl, 1979

Dr.-Theodor-Körner-Preis 1961
Förderungspreis für Architekten des Bundesministeriums für Unterricht und Kunst 1973
Europäischer Stahlbaupreis 1976
Preis der Stadt Wien 1977

SPALT Johannes
Architekt, Professor
geb. 29. September 1920 in Gmunden/Oberösterreich

1937–1941	Höhere Staatsbauschule Salzburg
1945–1949	freischaffender Architekt in Gmunden und Wien
1949–1952	Akademie der bildenden Künste, Wien Diplom an der Meisterschule Prof. Clemens Holzmeister
1952–1964	Zusammenarbeit mit Wilhelm Holzbauer und Friedrich Kurrent als Arbeitsgruppe 4
1969	Eigenes Atelier Wien (teilweise Zusammenarbeit mit Friedrich Kurrent bis 1974)
1973	o. Professor und Meisterklassenleiter, Klasse für Innenarchitektur und Industrieentwurf an der Hochschule für angewandte Kunst, Wien
1975–1979	Rektor der Hochschule für angewandte Kunst, Wien

Wichtige Bauten:

Umbau und Ausbau Haus Otto Schubert, Lustenau, 1969
Wohnung Frau Hildegard Bösch, 1972
Wohnhaus F. Wittmann, Etsdorf, Niederösterreich,1975
Umbau Haus Weaver, London, 1972
Erweiterung des Wohnateliers Prof. Wander Bertoni, Wien, 1976
Kirche Wienerfeldgasse-Neilreichgasse, 1976

Dr.-Theodor-Körner-Preis 1954
Österreichischer Staatspreis für Architektur (Förderungspreis) 1959
Kulturpreis der Stadt Kapfenberg 1967
Preis der Stadt Wien für Architektur 1970

TESAR Heinz
Architekt
geb. 16. Juni 1939 in Innsbruck/Tirol

1961–1965	Studium an der Akademie der bildenden Künste in Wien, Meisterschule Prof. Roland Rainer
1965	Diplom, Preis der Zentralvereinigung der Architekten Österreichs
seit 1973	freischaffender Architekt in Wien

Wichtige Bauten:

Kontaktarchitektur Homotypen, 1969
Innenrenovierung St. Stephan, Schleedorf, 1974
Musikstudio Peer, Steinach, Tirol, 1977
Pfarrkirche Unternberg, Erweiterung, 1979
Haus Riedenthal, 1980
Innenrenovierung Pfarrkirche Leopoldskron, Salzburg, 1980
Pfarrhof Leopoldskron, Salzburg, 1980

WAWRIK Gunther
Architekt
geb. 7. Oktober 1930 in Salzburg

1949–1956	Architekturstudium an der Technischen Hochschule in Wien
1956	Internationale Sommerakademie Salzburg bei Konrad Wachsmann
seit 1961	Architekturbüro in Wien (gemeinsam mit Hans Puchhammer)
seit 1974	Vorstandsmitglied der Österreichischen Gesellschaft für Architektur
1978	Vorsitzender der Österreichischen Gesellschaft für Architektur

Wichtige Bauten:

Siedlung »Goldtruhe«, Brunn am Gebirge, Niederösterreich, 1969
Haus Widtmann, Wien, 1968
Bürohaus Grothusen, Wien, 1971
Landesmuseum Eisenstadt, Burgenland, 1976

WERKGRUPPE GRAZ

Architekten   Dipl.-Ing. Eugen A. Gross
Dipl.-Ing. Dr. techn. Friedrich Gross-Rannsbach
o. Prof. Dipl.-Ing. Werner Hollomey
Dipl.-Ing. Hermann Pichler

Werkgruppe Graz:
Arbeitsgemeinschaft seit 1960

Wichtige Bauten:

Studentenheim am Hafnerriegel, Graz, 1963
Chirurgische Klinik am Landeskrankenhaus Graz, 1972
Hauptfeuerwache Graz, 1975
Terrassensiedlung Graz-St. Peter, 1978
Stadthalle Deutschlandsberg
Pfarrzentrum Graz, Andritz

GROSS Eugen A.
Architekt, Dipl.-Ing.
geb. 31. Mai 1933 in Bielitz/Schlesien

	Studium an der Technischen Hochschule Graz Sommerakademie bei Konrad Wachsmann Praxis in Bundesrepublik Deutschland und Österreich Assistent bei Prof. Hubert Hoffmann an der Technischen Hochschule Graz
1971	Gastprofessor an der Washington University St. Louis, Missouri
seit 1974	Lehrbeauftragter für Raumordnung

GROSS-RANNSBACH Friedrich
Architekt, Dipl.-Ing, Dr. techn.
geb. 28. Juli 1931 in Graz/Steiermark

	Studium an der Technischen Hochschule Graz und Akademie der bildenden Künste München Praxis in Österreich Assistent bei Prof. Hubert Hoffmann an der Technischen Hochschule Graz Dissertation zum Industriebau
1975–1979	Lehrbeauftragter für Bauorganisation

HOLLOMEY Werner
Architekt, Dipl.-Ing., Professor
geb. 3. Februar 1929 in Schladming/Steiermark

	Studium an der Technischen Hochschule Graz Praxis in Österreich Assistent bei Prof. Friedrich Zotter und Ferdinand Schuster an der Technischen Hochschule Graz Vorstand des Institutes für Hochbau und Entwerfen an der Technischen Universität Graz

PICHLER Hermann
Architekt, Dipl.-Ing.
geb. 2. Juli 1933 in Straßburg/Kärnten

	Studium an der Technischen Hochschule in Graz

WOTRUBA Fritz
Bildhauer, Professor
geb. 23. April 1907 in Wien
gest. 28. August 1975 in Wien

1926–1928	Schüler bei Anton Hanak
1928–1929	Erster Männlicher Torso (Kalkstein)
1933	Mahnmal »Mensch verdamme den Krieg« Donawitz

1945	Berufung an die Akademie der bildenden Künste in Wien
1950	Teilnahme an der Biennale von Venedig
1955–1956	Ausstellungen in verschiedenen amerikanischen Museen
1957	Figurenrelief Österreich-Pavillon Weltausstellung in Brüssel (derzeit im Museum des 20. Jahrhunderts in Wien)
1965	Beginn des Entwurfs einer Kirche »Zur Heiligsten Dreifaltigkeit« in Wien-Mauer, die im Herbst 1976 geweiht wird (Mitarbeit von Fritz G. Mayr)
1966	Bühnengestaltung, Kostüme und Masken »König Ödipus« im Wiener Burgtheater
1973	Propyläen-Verlag Berlin Mappe »Figuren« mit handkolorierten Lithographien Diverse Ausstellungen im In- und Ausland

Großer Österreichischer Staatspreis
Mitglied des Österreichischen Kunstsenats

QUELLENNACHWEIS

BAU, Schrift für Architektur und Städebau, Heft 2/3 1969, Heft 4/5 1969

BAUFORUM, Österr. Bauzentrum, 1967

NEUE ARCHITEKTUR IN ÖSTERREICH 1945–1970, Österr. Fachzeitschriftenverlag 1969

KONFRONTATIONEN, Katalog Österr. Ges. f. Architektur, 1973

ARCHITEKTUR, Hollein, Pichler, Ausstellungskatalog 1963

FRIEDRICH ST. FLORIAN: Projects 1961–1976

RICHARD FEIGEN GALLERY, Katalog Hans Hollein 1969

STADT-SKULPTUREN, Barna von Sartory

DIE PÄDAGOGISCHE AKADEMIE DER DIÖZESE LINZ, Festschrift Oberösterreichischer Landesverlag

ARCHITEKTUR & TECHNIK, Edition Tusch 1979

PERSONENREGISTER

zu den Beiträgen von Peter M. Bode und Gustav Peichl sowie zur Dokumentation. Kursiv gesetzte Ziffern
verweisen auf Abbildungen.

DANK

Für förderndes Interesse an diesem Werk danken wir der »Gesellschaft der Akademiefreunde« in Wien.
Der Residenz Verlag und die Druckerei Sochor zudem haben alles Erdenkliche getan, um uns bei der Realisierung unseres Vorhabens in bester Weise zu unterstützen.

P.B. und G.P.